GLYN DAVIES II
Anglesey Landscapes

TIRLUNIAU MÔN

PUBLISHED BY GLYN DAVIES PHOTO-ARTIST LTD

ISBN: 978-0-9557003-1-6

All of the images featured in this book are available as fine art prints from the Glyn Davies Gallery. Please call 01248 715511 for further details

Glyn Davies Photo-Artist Ltd, The Gallery, Menai Bridge, Anglesey LL59 5DN
Tel: 01248 715511 Email: glyn@glyndavies.com Website: www.glyndavies.com

Design & Production by Jonathan Briggs at Magic Bean Publishing,
Design & Event Services Tel: 0870 850 2125 Email: jonathan@magic-bean.co.uk
Website: www.magic-bean.co.uk

Translated by Dr Bruce Griffiths & Ann Corkett

Foreword by Professor Derec Llwyd Morgan

Printed & Bound by Cambrian Printers, Aberystwyth

CYHOEDDWYD GAN GLYN DAVIES PHOTO-ARTIST LTD

ISBN: 978-0-9557003-1-6

Ceir yr holl ddelweddau a welir yn y llyfr hwn ar ffurf printiau celfyddyd gain gan Oriel Glyn Davies. Os gwelwch yn dda, galwch 01248 715511 am ragor o fanylion

Glyn Davies Photo-Artist Ltd, Yr Oriel, Porthaethwy, Ynys Mon LL59 5DN
Ffôn: 01248 715511 E-bost: glyn@glyndavies.com Gwefan: www.glyndavies.com

Dyluniwyd a chynhyrchwyd gan Jonathan Briggs, Magic Bean Publishing,
Design and Event Services Ffôn: 0870 850 2125 E-bost: jonathan@magic-bean.co.uk Gwefan: www.magic-bean.co.uk

Cyfieithwyd gan Ann Corkett a'r Dr Bruce Griffiths

Rhagair gan yr Athro Derec Llwyd Morgan

Argraffwyd a rhwymwyd gan Cambrian Printers, Aberystwyth

This book is dedicated to my wife Carol

Her patient acceptance of my need to photograph, whether on a weekend walk, holiday or even honeymoon, is amazing. Her warmth of friendship, her wisdom to know when I need to concentrate, her ideas, strength and physical endurance, and her guaranteed, yet always surprising production of a flask of hot tea, in the middle of nowhere, are incredible! Her humour and conversation in the evenings, when all other light has disappeared, are both comforting and fun. I would never want to be without her!
Thank you Carol, with all my heart X

Cyflwynir y llyfr hwn i'm gwraig Carol

Mae ei hamynedd yn derbyn f'angen i dynnu lluniau, yn fy synnu, pa un ai wrth fynd am dro dros y Sul, neu ar ein gwyliau, neu hyd yn oed ar ein mis mêl. Mae cynhesrwydd ei chyfeillgarwch, ei doethineb yn gwybod pryd mae arnaf angen ganolbwyntio, ei syniadau, ei chryfder a'i dygnwch corfforol, a'r ffaith y gallwch ddibynnu arni i'ch synnu trwy ddod â fflasg o de poeth allan yng nghanol unlle, maent i gyd yn anhygoel! Mae ei hiwmor a'i sgwrs gyda'r nos, pan fydd pob goleuni arall wedi diflannu, yn gysur ac yn hwyl. Fyddwn i byth yn dymuno bod hebddi! Diolch iti, Carol, gyda'm holl galon X

Foreword by Professor Derec Llwyd Morgan

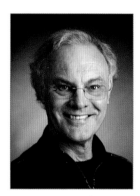

© Glyn Davies

The photographs that have pride of place on shelves and walls in most of our homes are occasional photographs of family members – wedding photos, a memorable visit to Paris, a baptism, Johnny dressed as Elvis for the local carnival, little Jane in her Welsh costume on St David's Day. If you think of these as newspaper cuttings, you will recognise them as memoranda, crude reports of events in our lives.

Although he is more than ready to take portraits of people, these are not the kind of photographs the artist Glyn Davies delights in producing. His landscapes are not crude reports, but rather compositions created by highly imaginative observation, observation refined by specialist craftsmanship that enables him to develop and edit what his camera takes. If you accept the comparison between family snaps and newspaper cuttings, note that Glyn's photographs are like lyric poems or literary essays, artistic statements about places and things, definitions of experiences which are sometimes obvious and simple, at other times complex, but at all times rich. By rich I mean that there is in his landscape photographs an opulence, either a wealth of vision (as in 'Mystical Isles', Llanddwyn Island) or copious detail (as 'I sat at Arthur's Table') or the two characteristics together (as in most of his pictures). Such opulence is bound to enrich our knowledge and understanding of the artist's subject matter, and also, through our response to them, our knowledge and understanding of ourselves.

I am now, of course, talking about interpretation. In his first book, Glyn Davies states that he 'will not be blinkered by [the] ridiculous notion that photographers must tell a 'truth''. Because he is such a splendidly sensitive photographer, Glyn's compositions are his truth, and the pleasure for all who view them is to ascertain and recognise aspects of that truth. Although his work includes boats and churches, lighthouses and gates, a cart-way here, a ruined cottage there – that is, man-made things – no man or woman appears there. In the way he portrays the earth, the land and sea and sky, and beyond that sky, in the way he suggests the infinite space in which planet earth is a mere particle of dust, Glyn Davies seems to wish to emphasise man's insignificance. That is a part of his work's truth. Another part of its truth is that no-one would be able to recognise that dreadful insignificance unless men and women exhibited it in their art works. Small as he is, without man there is no interpretation, there is no truth. It took millions of years to grind the grains of sand on Anglesey's beaches; it takes a forty-something Menai Bridge photographer's eye to define them in art.

Glyn Davies says that people ask him time and again: 'Why take photograph after photograph of Anglesey? Why don't you seek beauty spots in other parts of the world?' The wonderful Welsh novelist and short-story writer Kate Roberts always maintained that a writer of genius could write about his own village for a hundred years, because that village for him represented mankind. Similarly, with Glyn. Because his Anglesey represents to him the whole earth, he doesn't need to take his interpretative camera anywhere else.

Rhagair gan yr Athro Derec Llwyd Morgan

Ffotograffau o aelodau o'r teulu ar achlysuron gwahanol yn eu bywydau yw'r ffotograffau sy'n cael lle ar silffoedd neu barwydydd cartrefi'r rhan fwyaf ohonom – lluniau priodas, ymweliad cofiadwy â Pharis, bedydd, Siôn yn y carnifal lleol fel Elvis, Siân yn ei gwisg Gymreig ar Ddydd Gŵyl Dewi. Os meddyliwch am y rheini fel toriadau o bapur newydd, gwelwch mai cofnodion ydynt, adroddiadau amrwd sy'n sôn am droeon yn ein hanes.

Er ei fod yntau'n fwy na pharod i dynnu portreadau o bobl, nid dyna'r math o ffotograffau y mae Glyn Davies yr artist yn eu cynhyrchu wrth ei fodd. Nid adroddiadau amrwd yw ei dirluniau ef, eithr yn hytrach cyfansoddiadau a grëir gan sylwgarwch tra dychmygus, sylwgarwch a goethir gan grefftwriaeth arbenigol sy'n ei alluogi i ddatblygu a golygu'r hyn y mae ei gamera'n ei dynnu. Os derbynnir y gymhariaeth mai pethau tebyg i gofnodion newyddiadurol yw'n lluniau teuluol ni, noder mai pethau tebyg i delynegion neu ysgrifau llenyddol yw ei ffotograffau ef, datganiadau celfyddydol ynghylch llefydd a phethau, diffiniadau o brofiadau sydd weithiau'n syml-amlwg, weithiau'n gymhleth, ond sydd bob amser yn gyfoethog. Ystyr y gair cyfoethog i mi yma yw bod yn y tirluniau ddigonedd, naill ai golud gwelediad (fel yn 'Ynysoedd Cyfrin', Ynys Llanddwyn) neu fanylder helaeth (fel yn 'Eisteddais wrth Fwrdd Arthur') neu'r ddeubeth ynghyd (fel yn y rhan fwyaf o'r lluniau). Y mae'r digonedd hwnnw'n rhwym o gyfoethogi adnabyddiaeth pawb ohonom nid yn unig o bynciau'r artist eithr hefyd ein hadnabyddiaeth ohonom ein hunain, drwy ein hymateb iddynt.

Sôn yr wyf i'n awr, wrth gwrs, am ddehongli. Yn ei gyfrol gyntaf, dywed Glyn Davies na fynn gael ei lesteirio gan 'y syniad gwirion ... bod yn rhaid i ffotograffwyr ddweud rhyw 'wirionedd''. Ac yntau'n ffotograffydd tra synhwyrus, tra chrefftus, cyfansoddiadau Glyn yw ei wirionedd, a'r hyfrydwch i bawb a sylla arnynt yw adnabod agweddau ar y gwirionedd hwnnw. Er bod yn ei waith eglwysi a chychod, goleudai a chlwydi, ambell lôn drol, ambell furddyn – hynny yw, pethau o greadigaeth dyn – nid oes ynddo ddim golwg o wŷr na gwragedd fel y cyfryw. Wrth ddarlunio'r ddaear, y tir a'r môr a'r awyr, a thu hwnt i'r awyr hwnnw, wrth awgrymu'r gofod diderfyn y mae'n dipyn daear yn llychyn bychan bach ynddo, y mae Glyn Davies fel petai'n dymuno pwysleisio dinodedd dyn. Dyna ran o'r gwirionedd sy'n ei waith. Rhan arall o'i wirionedd yw nad adwaenai neb y dinodedd dychrynllyd hwnnw oni ddangosid ef gan ddynion a merched yn eu hartistwaith. Er bychaned ydyw, heb ddyn nid oes ddehongliad, nid oes wirionedd. Er bod y gronynnau tywod ar draethau Môn yn gynnyrch malurwaith sy'n filoedd o filiynau o flynyddoedd oed, llygad ffotograffydd ychydig tros ei ddeugain oed a drig ym Mhorthaethwy sy'n eu diffinio mewn celfyddyd.

'Pam tynnu lluniau ym Môn o hyd?' yw un o'r cwestiynau a ofynnir iddo, meddai Glyn. 'Pam nad ewch chi i bellafoedd hardd y byd?' Haerai Kate Roberts, y nofelydd a'r awdur storïau byrion ardderchog, y gallai awdur athrylithgar ysgrifennu am ei bentref ei hun am gan mlynedd, am fod y pentref hwnnw'n cynrychioli'r ddynoliaeth iddo. Yr un modd gyda Glyn. Y mae ei Fôn yn cynrychioli'r holl ddaear iddo, ac am hynny ni raid iddo fynd â'i gamera dehongliadol i'r un lle arall.

Anglesey

Anglesey is a land full of surprises, a rich and varied landscape. Within a short space of time, travelling across this small island, you can find yourself undulating through tree-covered hillsides, winding along deserted, unmarked back roads, racing across flat plains or marshes and then gaining spectacular views from high cliffs looking out across the Irish Sea. You will pass castles, ancient standing stones and burial chambers, old traditional farms and outbuildings, historic mine workings and long-deserted quarries and industrial buildings, stately homes and formal gardens, thatched cottages, quaint hotels, grand harbours, ancient ports and numerous lighthouses. Between the headlands of the West coast lie vast stretches of clean, sandy beaches, backed by high, windblown sand dunes, whilst on the East nestle small shingle coves surrounded by tipped layers of angular bedrock. Within these 276 square miles of dramatic and beautiful countryside, it is perhaps hardly surprising that I continue to find unending inspiration!

Background

In the first volume of *Anglesey Landscapes – Tirluniau Môn*, I gave a very full account of my background, from family involvement in the arts over several generations, to my education and training in photography and my early influences, from past tutors to notable artists. It is therefore not practical to mention all of those details once again. However, it would be prudent to provide some of the basic facts for those who have not had the chance to read the first book. I hope these will enable an understanding of why I have chosen this career.

I was brought up in Cornwall, surrounded by art and artists. Not only is Cornwall famed for its art culture and art history, but both my parents are also artists – dad a printmaker, painter and former senior lecturer in fine art, and mum, a ceramicist and textile designer. My Welsh grandfather was an amateur landscape painter and my dad's uncle was eminent Welsh illustrator and cartoonist, Wilfred Mitford Davies. My great grandfather was a photographer on Anglesey at the end of the nineteenth century. Whilst my brother Simon also followed an art career, winning scholarships for his drawing and painting, and later becoming an art teacher and head of department at schools in Cheshire, I took a foundation course in Art & Design at the Falmouth School of Art in Cornwall, and then a degree course in Photography, Film & TV at Harrow in London. After leaving college in 1987, I became a freelance photographer, but was always interested in shooting my own projects rather than doing commercial work. I saw the latter as making purses out of sows' ears – clever, creative, but not artistic.

In 2002, I established my own gallery in Menai Bridge on Anglesey, and this was the first time I realised that I could actually practise what I had wanted to do all along, to be an artist, to do my own work, and to deal directly with people interested in my imagery. It was a hard decision to make and a difficult path from which to make a living. My passion for my subject, and an honesty about what landscape means to me, along with the drive for perfection in print production, is what has kept the wolves from the door!

In 2005 I moved to bigger premises, over the road, and in 2007 I acquired the ground floor premises, which I refurbished as my reception gallery. Over the last ten years, I have happily witnessed a far greater acceptance of photography as fine art, not just from customers in my gallery, but also from listening to colleagues on worldwide professional lists and from reading the international press. This has been a huge boost for those of us who have a deep desire to do personal work, and has helped to secure the value of fine-art photography across the globe.

Age & Contentment

I was asked during a BBC Radio interview why I continued to shoot images of Anglesey, when I have also had opportunities to photograph so many other beautiful parts of the country and indeed the world. My answer was that, even if I had my lifetime three times over, I would still struggle to fully capture the ever-changing spirit, mood and geography of the area. I am still coming across tiny lanes, buildings and landforms I never knew existed. There remain hundreds of acres of land under private ownership, which I know contain even more subject matter for my work! It is impossible to ever recreate an image I have previously worked on – the light is always different, flora has changed, the mood is different, weather conditions have varied, and skies are always new. Therefore, each time I return to a location, it feels like a new place, but with a comforting embrace of familiarity. I am in love with this process of renewal; I find it refreshing and invigorating. It means that, even as I age, I will never have to travel far to find inspiration and captivating subject matter!

Perhaps, as I'm getting older, my responses to the landscape are changing accordingly, i.e. what the landscape means to me. I really dislike getting older, especially physically, but in terms of my understanding and experience of the world, I would never want to go back. As a youngster, I used to look at sea cliffs mostly as a climbing playground, whereas now the bias is towards viewing cliffs as conflict zones, hard faces of rock doing their best to resist daily attacks from an ever-expanding sea. The desire to throw myself off on an abseil rope is still there, but these days I mostly choose not to, and will spend more time walking the cliffs, camera in hand, or simply sitting and looking out to sea, absorbing the much bigger picture than that of crimping edges or wire placements! When I was younger, the sea cliffs were a place to put your life on the edge, to dice with death or injury, and to experience the adrenalin rush of having completed a route without mishap. I miss the intensity of that rush, but I have since discovered a different kind of rush – an excitement about simply being alive, having good health and an ability to let my mind wander. I enjoy, even revel in, the vastness of the world about me.

Romanticism or genuine awareness?

I have been thinking a lot about the derision and criticism, in more recent times, of the term 'romanticism'. When I am out in the landscape, especially near the sea, though it could equally be a mountaintop, through no preconceived response I am in total awe of the scale of the land, sea and earth, and the earth's relationship with the universe. To me, these thoughts and mind-expanding moments are unavoidable; they arrive subconsciously and then completely fill my head. How can anyone in possession of an imagination NOT consider our relationship to these huge spaces, or the raw power of the elements therein? They are mind-blowing, impressive and liberating. I believe these feelings are very primeval and very natural. I know I am not alone in experiencing them. It is not that we any longer live in ignorance of the physics, but the physics themselves are nevertheless awesome. The majority of artists and visitors with whom I have more involved conversations often share this view. An interesting connection between many of these people is that they often live in, were raised in, or have a deep longing for, the rural environment.

As someone who lives for the landscape, and whose earliest childhood memories were of being out in all weathers in the landscape, I am therefore now completely happy about producing works which celebrate my emotional responses to the drama of the landscape, forces of nature, Biblical skyscapes, vast seascapes or simply the infinite blanket of dusk and night skies.

A Change in Mood?

In the last year or so, my work has become increasingly moody, even dark, but nevertheless intrinsically linked to my response to either the elements or the passing of time. These notions may be on a small scale, as in 'Blessing in the Darkness', where simply the cloak of night on a cold winter's evening makes man's artificial lights within the church seem comforting, yet still insignificant in comparison. They may be larger-scale, as in 'Light from a Dark Island', where a hailstorm has blackened the sky, darkened the land, and even made large sea waves seem miniscule in comparison. On a yet larger scale, the 'Evening Tide' series of images takes this even further. I discuss in the image description the huge natural process of day turning to night, the moment when no matter how clever or great we think we are, we cannot change these basic physics, we cannot control the rotation of the planet or the quenching of life-empowering sunshine. The sunset alone is awesome, but the period after sundown is often more poignant to me, when I witness the whole landscape turning black, the heat disappearing, birds going silent, people going home, and man-made noises dissipating, leaving just the sound of the sea in the deepening darkness. I love the way new details take on significance when the light levels drop – small pebbles, faces of rock, perhaps just grasses, catch the weak light more easily and take on a prominence previously unobtainable. The insignificance of man in this whole process is the main concept behind 'A Light appeared in the Darkness', where the human significance of a disagreement pales into insignificance against the vastness of the dusk sky and the rapid sweep of an incoming tide, washing away all traces of man's footprints from the shores. Of course the light appearing is my wife, and it is this human connection with each other, this sharing of a bigger experience, that often puts the silliness of human conflict into perspective.

The concentration of modern society on society, and on the process of acquisition – creating 'haves and have nots', rich and poor, conflict and greed – all seems to stem from a gradual move away from a spiritual, or maybe simply human, awareness of our position in the universe, and our pathetic place on the timeline. Yet all around us we have the stimuli to allow our minds to escape, to contemplate, and to meditate. I think some people may not even realise they can do this for themselves – they may be so caught up in work or with families that this 'dream time' seems to escape them, but perhaps on holiday, watching the sun go down over the sea, they have briefly considered the bigger picture. It might just be watching a thunderstorm from a high-rise window, and considering our vulnerability to the elements. I find, even when I am walking around London or Manchester, that I now consciously look up to see the clouds scurrying by; these are my elemental escape from the chaos of the human world below. In Liverpool I love going down to the docks to watch the sun over the water, to feel the wind rushing off the sea and watch the muddy waters continue their natural process of attrition and erosion. I am therefore now more confident than ever, that wherever I am, I have found a more 'worthwhile' awareness, it is MY spirituality, my reason for being, much bigger than anything else which life throws at us, even love! Fortunately this appreciation of the bigger picture, which is hopefully visualised in much of my work, also generates a feeling of well-being that enables love, and interaction with others, and a sharing of ideas and experiences with friends, family and customers.

Conclusion

My art is NOT just picture-making. It's about storytelling, it's about sharing, it's about raising awareness – of things that matter to me, not just dream space, but fragile landscapes and environments, beautiful old buildings, human endeavours, ancient history and signs of man's clever and sensitive use of this unique landscape. My photographic images are catalysts for enlivening discussions about bigger things, and for that I am truly happy.

Glyn Davies

Ynys Môn

Gwlad lawn o bethau annisgwyl yw Ynys Môn, tirlun cyfoethog ac amrywiol. Mewn byr o dro, wrth groesi'r ynys fechan hon, gallwch ymdonni trwy lethrau coediog, ymdroelli ar hyd lonydd cefn gwag heb arwyddion, rhuthro ar draws gwastadeddau neu gorsydd ac yna ennill golygfeydd ysblennydd, gan edrych o glogwyni uchel dros Fôr Iwerddon. Fe ewch heibio cestyll, meini hirion a siambrau claddu hynafol, hen ffermdai a thai allan traddodiadol, cloddfeydd hanesyddol, chwareli ac adeiladau diwydiannol a fu'n ddiffaith ers talwm, plastai a gerddi ffurfiol, bythynnod to gwellt, gwestai hynod, harbwrs mawreddog, porthladdoedd hynafol a sawl goleudy. Rhwng pentiroedd glannau'r Gorllewin ceir hydoedd eang o draethau tywod glân, â thwyni uchel o waith y gwynt yn gefn iddynt; yn y Dwyrain, swatia cilfachau bychain, graeanog, rhwng haenau o graigwely onglog ar oleddf. Y tu mewn i'r 276 milltir sgwâr hyn o gefn gwlad hardd a dramatig, prin bod angen synnu, efallai, fy mod i'n dal i dderbyn ysbrydoliaeth ddi-ben-draw.

Cefndir

Yng nghyfrol gyntaf *Anglesey Landscapes – Tirluniau Môn*, soniais yn bur faith am fy nghefndir, yn ymestyn o ymwneud y teulu â'r celfyddydau dros sawl cenhedlaeth, i'm haddysg a'm hyfforddiant mewn ffotograffiaeth a'r dylanwadau cynnar arnaf, o diwtoriaid gynt i arlunwyr nodedig. Nid yw'n ymarferol, felly, sôn am yr holl fanylion hynny unwaith eto. Er hynny, byddai'n ddoeth imi roi rhai o'r ffeithiau sylfaenol ar gyfer y rhai na chafodd gyfle i ddarllen y llyfr cyntaf. Gobeithio y bydd y rhain yn help i ddeall pam 'rwyf wedi dewis yr yrfa hon.

Magwyd fi yng Nghernyw, yng nghanol gwaith celf ac arlunwyr. Nid yn unig y mae gan Gernyw enw am ei diwylliant celfyddydol a'i hanes celfyddydol, ond y mae fy mam a'm tad, ill dau, yn arlunwyr – fy nhad yn wneuthurwr printiau, paentiwr a chyn-ddarlithydd hŷn mewn celfydd gain, a mam yn seramegydd a dylunydd tecstilau. Arlunydd tirluniau amatur oedd fy nhaid ar ochr fy nhad, ac ewythr fy nhad oedd y darlunydd a chartwnydd enwog o Gymro, Wilfred Mitford Davies. 'Roedd fy hen daid yn ffotograffydd yn Sir Fôn ar ddiwedd y bedwaredd ganrif ar bymtheg. Tra bu fy mrawd Simon hefyd yn dilyn gyrfa yn y celfyddydau, gan ennill ysgoloriaethau am ei waith dylunio a phaentio, ac yn mynd ymlaen i fod yn athro celf a phennaeth adran mewn ysgolion yn Swydd Caer, dilynais gwrs sylfaenol mewn Celf a Dylunio yn Ysgol Gelf Falmouth yng Nghernyw, ac yna gwrs gradd anrhydedd yng Ngholeg Harrow yn Llundain. Ar ôl imi adael y coleg yn 1987, euthum yn ffotograffydd ar fy liwt fy hun, ond 'roedd fy niddordeb erioed mewn tynnu lluniau ar gyfer fy mhrosiectau fy hun, yn hytrach na gwneud gwaith masnachol. Gwelais yr ail fel ffugio harddwch lle nad oedd dim mewn gwirionedd – medrus, creadigol ond heb fod yn artistig.

Yn 2002, cychwynnais f'oriel fy hun ym Mhorthaethwy, a dyna fu'r tro cyntaf imi sylweddoli y gallwn o ddifrif ddilyn yr yrfa yr oeddwn wedi'i dymuno trwy'r amser, sef bod yn arlunydd, gwneud fy ngwaith fy hun, ac ymwneud yn uniongyrchol â phobl a ymddiddorai yn fy math i o ddelweddau. Penderfyniad anodd fu hynny, a llwybr dyrys i'w ddilyn i ennill bywoliaeth. Fy nghariad angerddol at fy mhwnc, onestrwydd ynghylch yr hyn y mae'r tirlun yn ei olygu imi, yn ogystal â'r cymhelliad i gyrraedd perffeithrwydd mewn cynhyrchu'r print perffaith, dyna'r pethau sy'n cadw'r bleiddiaid o'r drws! Yn 2005 symudais i le mwy, dros y ffordd, gan feddiannu'r llawr isaf hefyd yn 2007, a'i ailwampio fel f'oriel dderbyn.

Dros y deng mlynedd diwethaf, bûm yn falch o sylwi ar barodrwydd i dderbyn ffotograffiaeth fel celfyddyd gain, nid ar ran cwsmeriaid yr oriel yn unig, ond hefyd wrth wrando ar gyd-weithwyr ar restrau proffesiynol drwy'r byd i gyd ac o ddarllen y wasg ryngwladol. Bu hyn yn hwb aruthrol i'r rhai ohonom sydd ag awydd dwfn i wneud gwaith personol, ac mae wedi helpu sicrhau gwerth ffotograffiaeth gelfyddyd gain ar draws y byd.

Aeddfedu'n Fodlon

Gofynnwyd imi mewn cyfweliad ar radio'r BBC, pam 'roeddwn i'n dal i dynnu lluniau o Ynys Môn, pan gawswn hefyd gyfleoedd i dynnu lluniau mewn cymaint o leoedd hardd eraill, yn y wlad hon ac, yn wir, yn y byd. F'ateb oedd, hyd yn oed pe cawn f'oes deirgwaith drosodd, byddai'n ymdrech imi ddal yn llwyr ysbryd, naws a thirlun cyfnewidiol yr ardal. Daliaf i ddarganfod lonydd bychain, adeiladau a thirffurfiau na wyddwn i erioed amdanynt. Mae cannoedd o erwau yn eiddo perchnogion preifat o hyd, a gwn fod ynddynt hyd yn oed ragor o ddeunydd ar gyfer fy ngwaith! Nid oes byth fodd ail-greu llun y bûm yn gweithio arno o'r blaen – mae'r goleuni wastad yn wahanol, mae'r planhigion wedi newid, mae'r naws yn wahanol, mae'r tywydd yn amrywiol, ac mae golwg yr awyr bob amser yn newydd. Felly, bob tro y dychwelaf i le, mae'n teimlo fel rhywle newydd, ond gyda chofleidiad cysurus hen gynefin. 'Rwyf mewn cariad â'r broses hon o adnewyddu; 'rwy'n ei chael yn iachusol ac yn fywhaol. Mae'n golygu, hyd yn oed wrth imi heneiddio, na fyddaf byth yn gorfod teithio'n bell i chwilio am ysbrydoliaeth a deunydd cyfareddol!

Efallai, wrth imi fynd yn hŷn, mae f'ymatebion i'r tirlun, h.y. yr hyn y mae'r tirlun yn ei olygu imi, yn newid yn unol â hynny. Mae'n gas gennyf heneiddio, yn arbennig yn gorfforol, ond o ran fy nealltwriaeth a phrofiad o'r byd, ni fyddwn i byth yn dymuno dychwelyd i'r hyn a fu. Yn llanc, arferwn edrych ar glogwyni'r glannau yn bennaf fel lle chwarae i ddringwyr, tra tueddaf bellach i weld clogwyni fel mannau gwrthdaro, talcennau caled o graig yn gwneud eu gorau glas i wrthsefyll ymosodiadau môr sy'n bythol ymledu. Daliaf i deimlo awydd i'm lansio fy hun ar raff abseilio, ond bellach, ar y cyfan, dewisaf beidio â'i wneud, a threuliaf ragor o amser yn cerdded y clogwyni, fy nghamera yn fy llaw, neu'n gwneud dim byd ond eistedd, gan edrych allan i'r môr ac ymgolli mewn darlun mwy o lawer na darlun o afaelion bychan bach neu osodiadau gwifrau! Pan oeddwn i'n iau, 'roedd clogwyni'r glannau'n lle i fentro'ch bywyd, i fentro anaf neu angau, ac i brofi llif adrenalin wrth gwblhau llwybr dringo'n iach fy nghroen. Teimlaf golli cyffro'r llif hwnnw, ond ers hynny 'rwyf wedi darganfod cyffro o fath gwahanol – cynnwrf a ddaw o fod yn fyw yn unig, a bod mewn iechyd da, a gallu gadael i'm meddwl grwydro. 'Rwyf yn mwynhau aruthredd y byd o'm cwmpas, yn gorfoleddu ynddo.

Rhamantiaeth ynteu gwir ymwybyddiaeth?

Mi fûm yn pendroni llawer ynghylch y dirmyg a'r feirniadaeth a anelwyd, yn weddol ddiweddar, at y term 'rhamantiaeth'. Pan fyddaf allan yn y wlad, yn arbennig ger y glannau, er y gallai'r un mor hawdd fod ar ben mynydd, er na ragdybiaf unrhyw ymateb, teimlaf yn llawn parchedig ofn o flaen mawredd y tir, y môr, y byd, a pherthynas y byd â'r bydysawd. I mi, nid oes modd osgoi'r syniadau a'r munudau goleuol hyn; deuant o'm hisymwybod ac yna llenwi fy mhen yn llwyr. Sut y gall unrhyw un sy'n berchen ar ddychymyg BEIDIO ag ystyried ein perthynas â'r eangderau hyn, neu â grym noeth yr elfennau ynddynt? Maent yn syfrdanol, yn aruthrol ac yn rhyddhaol. Yn fy marn i, teimladau cyntefig a naturiol iawn yw'r rhain. Gwn nad fi yw'r unig un i'w brofi. Nid ein bod ni'n byw bellach heb wybod am ffeithiau ffiseg, ond mae'r ffeithiau eu hunain, er hynny, yn arswydus. Yn aml, mae'r rhan fwyaf o'r artistiaid a'r ymwelwyr y caf drafodaethau dyfnach â hwy, yn rhannu fy marn. Cyswllt diddorol rhwng llawer o'r bobl hyn yw eu bod nhw, yn aml, naill ai'n byw yn y wlad, wedi'u magu ynddi, neu'n dyheu'n angerddol amdani.

'Rwy'n ddyn sy'n byw er mwyn cefn gwlad, ac atgofion cynharaf fy mhlentyndod yw bod allan yng nghefn gwlad ar bob tywydd; felly erbyn hyn 'rwy'n hollol fodlon ynghylch cynhyrchu gwaith sy'n dathlu f'ymateb emosiynol i ddrama'r tirlun, i rymoedd natur, awyrluniau Beiblaidd, morluniau eang neu dim ond blanced ddiderfyn awyr yr hwyr neu'r nos.

Newid Cywair?

Ers y llynedd, neu ynghynt, aethai fy ngwaith yn fwyfwy atmosfferaidd, hyd yn oed yn dywyll, ac eto'n gysylltiedig o hyd yn y bôn â'm hymateb i naill ai'r elfennau neu dreiglad amser. Efallai bod y syniadau hyn ar raddfa fach, megis yn 'Bendith yn y Tywyllwch', lle nad oes dim ond llen y nos ar hwyrnos oer o'r gaeaf yn peri i oleuadau artiffisial dyn, yn yr eglwys, ymddangos, o'u cymharu, yn gysurus ac eto'n bitw. Gallant fod ar raddfa fwy, fel 'Golau o Ynys Dywyll', lle mae storm o genllysg wedi duo'r awyr, wedi tywyllu'r tir, a hyd yn oed wedi gwneud i donnau mawr y môr, o'u cymharu, ymddangos yn fychain fach. Ar raddfa fwy hyd yn oed, mae'r gyfres o luniau 'Llanw'r Cyfnos' yn mynd a'r syniad ymhellach byth Wrth ddisgrifio'r llun, 'rwy'n trafod proses naturiol aruthrol y newid o ddydd i nos, yr eiliad pan, ni waeth pa mor glyfar na pha mor fawr y tybiwn ein bod, na allwn newid y pethau ffisegol sylfaenol hyn, na allwn reoli cylchdro'r blaned na diflaniad yr heulwen sy'n rhoi modd inni fyw. Mae'r machlud yn unig yn aruthrol, ond i mi mae'r cyfnod ar ôl i machlud hyd yn oed yn fwy ingol, pan fyddaf yn dyst i dduo'r tirlun i gyd, y gwres yn diflannu, adar yn tewi, pobl yn mynd adref, sŵn gwaith dyn yn distewi, heb adael dim ond sŵn y môr yn y tywyllwch cynyddol.

Dotiaf at y modd y bydd manylion newydd yn magu arwyddocâd pan fydd lefelau'r golau'n disgyn – bydd cerrig mân, wynebau creigiau, efallai dim byd mwy na'r glaswellt, yn dal y goleuni gwan yn haws ac yn dod fwy i'r amlwg nag a ellid ynghynt. Distadledd dyn yn yr holl broses hon yw'r prif gysyniad y tu ôl i 'Gwelwyd Goleuni yn y Tywyllwch', lle mae arwyddocâd anghydweladiad dynol yn mynd yn ddibwys o'i gymharu ag ehangder awyr yr hwyr ac ysgubiad cyflym llanw sy'n codi, sy'n golchi ymaith pob ôl troed dyn o'r traethau. Fy ngwraig, wrth gwrs, yw'r goleuni a welir yn y tywyllwch, a'r cysylltiad dynol hwn â'n gilydd, y cyfrannu hwn o brofiad mwy, yw'r hyn sydd yn aml yn dangos ffolineb gwrthdaro dynol yn ei wir oleuni.

Ymddengys i obsesiwn cymdeithas heddiw, â chymdeithas ei hun, ac â'r broses o gaffael – gan greu 'y rhai y mae ganddynt a'r rhai nad oes ganddynt', y cyfoethog a'r tlawd, gwrthdaro a thrachwant – i gyd ddeillio o symudiad graddol oddi wrth ymwybyddiaeth ysbrydol, neu efallai dynol yn unig, o'n safle yn y bydysawd, ac o'n lle truenus ar linell amser. Ac eto, ymhobman o'n cwmpas, mae gennym y symbylau i adael i'n meddyliau ddianc, i ddwysystyried ac i fyfyrio. Credaf nad yw rhai pobl, efallai, hyd yn oed yn sylweddoli y gallant wneud hyn drostynt hwy eu hunain – efallai eu bod ynghlwm wrth eu gwaith, neu wrth eu teuluoedd, fel bod yr 'amser breuddwydio' hwn yn mynd o'u gafael, ond efallai ar eu gwyliau, gan wylio'r haul yn machlud dros y môr, maent wedi ystyried am funud y darlun mwy. Neu efallai nad ydynt ond wedi gwylio storm o fellt a tharanau o ffenestr adeilad uchel, ac wedi ystyried pa mor fregus yr ydym yn wyneb yr elfennau. Hyd yn oed wrth gerdded o gwmpas Llundain neu Fanceinion, caf fy hun, bellach, yn edrych i fyny, yn fwriadol, i weld y cymylau'n gwibio heibio; y rhain yw fy nihangfa elfennol o anhrefn byd dynion islaw. Yn Lerpwl, 'rwyf wrth fy modd yn mynd i lawr at y dociau i wylio'r haul dros y dŵr, i deimlo'r gwynt yn rhuthro oddi ar y môr ac i wylio'r dyfroedd lleidiog yn parhau â'u proses naturiol o dreulio ac erydu. Felly, erbyn hyn, 'rwy'n fwy hyderus nag erioed fy mod i, lle bynnag y byddaf, wedi dod o hyd i ymwybyddiaeth fwy 'gwerth chweil'; f'ysbrydolrwydd FY HUN ydyw, fy rheswm dros fodoli, mwy o lawer nag unrhyw beth arall y mae bywyd yn ei daflu atom, hyd yn oed cariad! Yn ffodus, mae'r gwerthfawrogiad hwn o'r darlun mwy, a ddelweddir, gobeithio, yn llawer o'm gwaith, hefyd yn creu teimlad o les sy'n meithrin cariad, ymwneud ag eraill, a rhannu syniadau a phrofiadau â chyfeillion, perthnasau a chwsmeriaid.

Diweddglo

NID gwneud lluniau yn unig yw fy ngwaith celfyddydol. Mae a wnelo ag adrodd storïau, â rhannu, â chodi ymwybyddiaeth – ymwybyddiaeth o bethau sy'n bwysig imi, nid lle i freuddwydio yn unig, ond tirluniau ac amgylcheddau bregus, hen adeiladau hardd, ymdrechion dynol, hen hanes ac arwyddion o ddefnydd medrus a theimladwy dynion o'r tirlun unigryw hwn. Mae fy nelweddau ffotograffig yn fan cychwyn i fywiogi trafodaethau ynghylch pethau mwy, ac mae hynny yn fy mhlesio'n fawr.

Glyn Davies

9

Ynys Llanddwyn has long been associated with spirit, religion, myth and legend, but on this early summer's day, surrounded by thick sea fog, it really took on a very magical and mysterious appearance. It was beautiful, ethereal, and provoked everyone's imagination. In the background, the mountains of Yr Eifl delicately heightened the magic of the moment, an honoured glimpse of an Avalon that sank almost as quickly as it rose.

Ers amser maith, cysylltir Ynys Llanddwyn â'r ysbryd, â chrefydd, myth a chwedl, ond ar y diwrnod hwn, yn gynnar yn yr haf, â niwl trwchus o'r môr o'i chwmpas, magodd yn wir olwg hudol a dirgelaidd. 'Roedd yn hardd, yn ansylweddol, a phrociai ddychymyg pawb. Yn y cefndir, dwyshëid yr hud yn ysgafn gan yr Eifl, cip breintiedig ar Afallon a suddodd bron cyn gynted ag a gododd.

Mystical Isles   *Ynysoedd Hud a Lledrith*

Heavy March mists surrounded the bridge. It was eerie yet magical, walking 100 foot above the Menai Strait with only the occasional glimpse of the dangerous waters below.

O amgylch y bont 'roedd niwloedd trwm mis Mawrth. 'Roedd yn iasol ac eto'n hudol, cerdded gan troedfedd uwch ben y Fenai, heb ddim ond ambell gip ar y dyfroedd peryglus islaw.

March Mist 1   *Niwl Mawrth 1*

Heavy snows just into the new millennium. The small village of Aberffraw, entered over an ancient packhorse bridge, sat silently under freezing clouds and heavy snows. Everything was quiet and, apart from flurries of snow, there was no movement, or so I thought. Down at the river's edge a small bird tiptoed through the long grasses, foraging for sustenance on this bleak evening.

Trwch mawr o eira ar ddechrau'r mileniwm newydd. Gorweddai pentref bach Aberffro, a gyrhaeddir dros bont bynfarch hynafol, yn fud dan gymylau rhewllyd ac eira trwm. 'Roedd popeth yn dawel ac, heblaw am gawodydd o eira, ni symudai dim – neu felly y meddyliwn. Ar lan yr afon, troediai aderyn bychan yn ofalus trwy'r glaswellt hir, gan chwilio am ei damaid ar y noson erwin hon.

Bird on the River, Aberffraw

Aderyn ar yr Afon, Aberffro

At just 7pm on this cold February night, a thick, heavy, cold fog had built up over the Strait which completely enveloped Telford's bridge. Even though it was relatively early, few cars passed over, so I had to play a waiting game to capture the glowing, diffused headlights. In all honesty, night shots of the bridge are generally tedious, because they only show the effects of man-made floodlights, making most of them seem identical; but fog seems to add another dimension, softening extraneous detail and simplifying the structure to its most basic form. I actually prefer the inclusion of speed signs and car lights in this shot, as it reminds us that this historic icon has spanned generations as well as the Straits!

Erbyn saith o'r gloch, ar noson oer ym mis Chwefror, 'roedd niwl oer, trwm, trwchus wedi ymgasglu uwchben y Fenai, gan orchuddio pont Telford yn llwyr. Er ei bod hi'n weddol gynnar, ychydig o geir âi drosti, felly bu'n rhaid imi aros i ddal eu blaenoleuadau tryledol, gwynias. Fel arfer, a dweud y gwir, mae ffotograffau o'r bont liw nos yn ddiflas, gan nad ydynt yn dangos ond effeithiau llifoleuadau o waith dyn, fel bod y rhan fwyaf ohonynt yn ymddangos yn union debyg i'w gilydd; ond mae fel petai niwl yn ychwanegu dimensiwn ychwanegol, gan feddalu manylion amherthnasol ac yn symleiddio'r adeiladwaith i'r eithaf. Mewn gwirionedd, mae'n well gennyf gynnwys yr arwyddion cyflymder a goleuadau'r ceir yn y llun hwn, gan fod hynny'n ein hatgoffa bod yr eicon hanesyddol hwn wedi pontio cenedlaethau yn ogystal â'r Fenai!

Fog Lights

Goleuadau yn y Niwl

The mist was really heavy this March morning. Even by late morning the cold vapour was still enveloping everything; even the trees seemed too cold to want to move! Light levels were those of dusk, not lunchtime.

'Roedd y niwl yn wirioneddol drwm y bore hwn ym mis Mawrth. Hyd yn oed yn hwyr yn y bore, gorweddai popeth dan orchudd o dawch oer; 'roedd hyd yn oed y coed fel petaent yn rhy oer i ddymuno symud! 'Roedd lefelau'r golau yn debyg i rai'r cyfnos, nid canol dydd.

March Mist 4   *Niwl Mawrth 4*

A sea of reeds and grasses, maybe four foot tall, swamping all the low-lying landscape features behind the beach at Llanddona. On the windward side, sections had been blown and gently bowed, forming beautiful soft curved walls, catching the light at different angles, pointing skywards to their windy, cumulus creators.

Môr o gyrs a glaswellt, ryw bedair troedfedd o uchder, sy'n boddi holl nodweddion y tir isel y tu ôl i draeth Llanddona. O du'r gwynt, yr oedd rhannau wedi'u chwythu a'u plygu'n dyner i ffurfio parwydydd crynion, meddal, hardd, a adlewyrchai'r golau i wahanol gyfeiriadau, gan bwyntio i'r awyr, at eu crewyr gwyntog, y cymylau.

The Wind Rushes

Brwyn yn y Gwynt

This is the first in a series about landforms created as a direct result of the tide. On Anglesey's long sandy beaches, which constantly change in profile depending on the weather, large pools of water often build up behind the sand bars. On an outgoing tide, the water from these massive pools often finds a way back to the sea, and the resulting streams carve their way across the sands, forming amazing shapes and patterns on their journey. Where waves still crash on the shore, these shapes become even more fantastical.

Hwn yw'r cyntaf mewn cyfres ynghylch tirffurfiau a grëwyd yn uniongyrchol gan y llanw. Ar draethau hir a thywodlyd Ynys Môn, sy'n newid eu proffil yn gyson, gan ddibynnu ar y tywydd, bydd pyllau mawr o ddŵr yn aml yn cronni'r tu ôl i'r traethellau. Pan fydd y llanw ar drai, bydd y dŵr o'r pyllau enfawr hyn yn aml yn dod o hyd i lwybr yn ôl i'r môr, gyda'r nentydd o'r herwydd yn cerfio eu ffordd ar draws y tywod, gan ffurfio siapiau a phatrymau rhyfeddol ar eu taith. Lle deil y tonnau i dorri ar y traeth, bydd y siapiau hyn yn mynd yn fwy ffantastig byth.

Tide Formed

Creadigaethau'r Llanw

Part of an ongoing series about landscape features created primarily by the wind. I am always elated by the knowledge that when standing amongst sand dunes, I am being given the privilege of being witness to a beauty that will never be the same again, that will have changed within hours or days, rather than eons. They look so solid, so huge; we can walk on them and play in them, but they are so soft, so vulnerable and so transient. Only the delicate marram grass helps to create any sense of longevity.

Rhan o gyfres barhaol ynghylch nodweddion y tirlun a grëwyd yn bennaf gan y gwynt. Mae bob amser yn codi fy nghalon i wybod, wrth sefyll ymhlith twyni tywod, fy mod i'n cael y fraint o fod yn dyst i harddwch na fydd byth yr un fath eto, harddwch a fydd wedi newid ym mhen oriau neu ddyddiau, yn hytrach nag ymhen oesoedd. Mae golwg mor solet, mor enfawr arnynt; medrwn gerdded arnynt a chwarae yn eu mysg, ond maent mor feddal, mor fregus ac mor fyrhoedlog. Nid oes dim ond y moresg main sy'n helpu creu unrhyw deimlad o hirhoedledd.

Wind Formed 4   *Creadigaethau'r Gwynt 4*

Part of an ongoing series about landscape features created primarily by the wind. Of course, none of the Newborough sand dunes would even exist without the wind, but within this mass of undulating, transient topography, mini-dunes appear upon larger dunes and the most amazing natural sand carvings evolve within this constant process of metamorphosis.

Rhan o gyfres barhaol ynghylch nodweddion y tirlun a grëwyd yn bennaf gan y gwynt. Wrth gwrs, ni fyddai twyni tywod Niwbwrch yn bod o gwbl oni bai am y gwynt, ond yng nghrynswth y dopograffeg fyrhoedlog, donnog hon, ymddengys twyni bychain ar y twyni mwy, gyda'r cerfiadau tywod naturiol mwyaf syfrdanol yn datblygu fel rhan o'r gweddnewid parhaus hwn.

Wind Formed 3

Creadigaethau'r Gwynt 3

Low tide at Cymyran. The pattern of the high, fast-blown clouds sympathetically mimics the fingers of sand pools in the darkening foreground. Above the sound of the crashing waves to my right, and the wind rushing past my ears, the pulsating drone of helicopter rotors could still be heard rising and falling during landing practice at the airfield to my left. A equal blend of noise and tranquillity!

Trai yng Nghymyran. Mae patrwm y cymylau uchel, a chwythir yn gyflym, yn dynwared bysedd pyllau'r tywod yn y blaendir hwyrol ac yn cyfateb iddynt. Uwch ben sŵn y tonnau'n torri ar fy llaw dde, a'r gwynt yn rhuthro heibio fy nghlustiau, gallwn glywed o hyd rŵn dirgrynol rotorau hofrennydd yn ymarfer glanio ar y maes awyr ar fy llaw chwith. Cymysgedd cyfartal o dwrw a thawelwch!

From Land to Sky　　　　　　　　　　　　　　　　　　　　　　　*O'r Tir i'r Awyr*

This image was shot on the same evening as 'Fog Lights', page 17. However, I have deliberately left this one in colour, as the unusual decision by the local authority to muddle up different coloured lights on such an iconic building still confounds me. There is an irony, of course, in the fact that the resultant mix of bridge lights against the pure white and bright red car lights makes this image quite surreal and unexpected, almost science fiction!

Tynnwyd y llun hwn yr un noson â 'Goleuadau yn y Niwl', tudalen 17. Er hynny, 'rwyf wedi gadael hwn mewn lliw yn fwriadol, gan fod penderfyniad anarferol yr awdurdod lleol i gymysgu goleuadau o liwiau gwahanol ar adeilad mor eiconig yn dal i'm syfrdanu. Mae eironi, wrth gwrs, yn y ffaith bod y canlyniad, y cymysgedd o oleuadau ar y bont yn erbyn gwyn pur a choch llachar goleuadau'r ceir, yn gwneud y llun yn eithaf swrrealaidd ac annisgwyl – bron fel rhywbeth o ffilm ffantasi!

Fog Lights 2   *Goleuadau yn y Niwl 2*

A deliberately colourful and graphic view, from the bridge roof of Malaysian registered bulk carrier, *Nerano*. This boat looked like a bath toy when seen from Holyhead Breakwater, but it was huge on board. It was almost a 50-foot drop to the deck below, and you could ride a bike from one end of the vessel to the other. Even when moored up, the hum of the generators made this ship feel as if it were always on the move, which in reality it usually was.

G olygfa sy'n fwriadol liwgar a graffig, o do pont lywio'r Nerano, llong swmpgludo a gofrestrwyd ym Maleisia. O Forglawdd Caergybi, 'roedd golwg tegan bath ar y llong hon, ond ar ei bwrdd yr oedd yn anferth. 'Roedd cwymp o bron hanner can troedfedd i'w bwrdd islaw, a gallech reidio beic o naill ben y llong i'r llall. Hyd yn oed â'r llong wedi'i mwrio, parai sŵn y generaduron iddi deimlo fel pe bai hi ar fynd o hyd, fel yn wir y byddai hi fel arfer.

Malaysian View, Holyhead Harbour   *Golygfa Faleisiaidd, Harbwr Caergybi*

Lots of people have been trying to find this beach, this mirage of dramatic beauty – this oilrig! It was one of those glorious mornings when intense sunlight dappled across the landscape. In this picture it also skimmed one face of the huge exploration rig and side-lit torrents of water pouring from a pipe. I was fascinated by the link between land and sky, created by the huge monochromatic structure of the rig itself. By using black and white for the whole image, a lovely balance of opposing tones was created, rather than a confusion of colours.

Bu llawer o bobl yn ceisio dod o hyd i'r traeth hon, y rhith hwn o harddwch dramataidd – y llwyfan olew hwn! 'Roedd yn un o'r boreau bendigedig hynny pan frithid y tirlun gan heulwen gref ar ei draws. Yn y llun hwn, cyffyrddai'n ysgafn hefyd ag un ochr i'r llwyfan archwilio anferth, gan sgîl-oleuo ffrydiau o ddŵr a dywalltai o bibell. Cefais fy nghyfareddu gan y cysylltiad rhwng y tir a'r awyr a grëwyd gan adeiladwaith unlliw enfawr y llwyfan ei hun. Trwy ddefnyddio du a gwyn ar gyfer y cyfan o'r llun, crëwyd cytbwysedd hyfryd o donau gwrthwynebol, yn hytrach na chybolfa o liwiau.

Rigged Up, Holyhead Breakwater   *Rigin, Morglawdd Caergybi*

The Dulas Estuary is quite vast, surrounded on both sides by low-lying hills. This wreck of an old wooden fishing boat therefore always seems very prominent, almost monolithic, in its open grave. However, dead though it may be, it has a special beauty all of its own. The hull is still basically intact, and the gorgeous lines and curves are still awesome to behold. It stands defiantly against all odds and, in this image at least, the temporary sand pool gives the lightest illusion of a boat once more afloat upon the water rather than submerged below.

Mae aber Dulas yn aruthrol fawr, â bryniau isel y ddwy ochr iddi. Felly mae ysgerbwd yr hen gwch pysgota hwn wastad yn amlwg iawn, bron yn fonolithig, yn ei fedd agored. Ond er ei fod yn farwaidd, mae ganddo ei harddwch arbennig ei hun. Ar y cyfan, mae'r gragen yn gyflawn o hyd, ac mae golwg urddasol o hyd ar ei ffurf luniaidd gain. Saif yn herfeiddiol er gwaethaf pawb a phopeth ac, yn y llun hwn o leiaf, mae'r pwll dros dro yn y tywod yn creu rhith ysgafn iawn o gwch sydd unwaith eto'n nofio ar y dŵr yn hytrach na bod dan ddŵr.

Floating Illusion   *Rhith yn Nofio*

She just lay there, damp and mysterious, exposing her ribs for all to see. The heavy ropes were draped across her sides and you could clearly see her spine within. She has been there for years, a siren to those who watch her from opposite shores. She tucks herself into a bed of soft mud and nestles against the estuary bank. Occasionally she is climbed upon and her structure explored, but mostly, the visitors will simply marvel at her beautiful curves and run their hands over her bottom. She still inspires imagination, and many will ponder about what she was like when still active, gracefully riding the long waves surging off Anglesey's coast.

Ni wnâi ond gorwedd, yn wlyb ac yn annirnad, gan noethi ei hasennau i bawb eu gweld. Ymdaenai rhaffau trymion ar draws ei hystlysau a gallech weld yn glir ei meingefn y tu mewn. Yno y bu hi ers blynyddoedd, seiren i'r rhai sy'n ei gwylio hi o'r glannau cyferbyn. Mae'n ei lapio ei hun yn glyd mewn gwely o laid meddal ac ymwthio yn erbyn glan yr aber. Ambell waith bydd rhywun yn dringo arni ac yn archwilio ei hadeiladwaith, ond ar y cyfan, ni wna ymwelwyr ond rhyfeddu at ei llinellau lluniaidd a rhedeg eu dwylo dros ei bontin. Deil i danio'r dychymyg, a bydd llawer yn ceisio dychmygu sut un oedd hi pan oedd hi wrthi hi o hyd, yn nofio'n osgeiddig dros y tonnau hirion sy'n ymchwyddo ger glannau Môn.

Dark Curvaceous Beauty

Prydferthwch Lluniaidd a Thywyll

As I meandered across the beach, through a particularly dense fog, I stumbled across this amazing remnant of a wreck, just the last few ribs of the stern stuck steadfast in the dense sand. This would be impressive enough on a clear day, but in the thick mists, in its isolation, it took on a demanding presence which triggered my imagination about its past.

Wrth imi grwydro dros y traeth, trwy niwl arbennig o dew, trewais ar y gweddillion rhyfeddol hyn, ysgerbwd cwch heb ddim ond ychydig asennau olaf y starn yn sownd yn y tywod trwchus. Byddai hyn yn ddigon trawiadol ar ddiwrnod clir, ond yn y tarth tew, ac yntau mor unig, âi'n bresenoldeb taer a brociai fy nychymyg ynghylch ei orffennol.

A Boat Appeared in the Mist

Ymddangosodd Cwch drwy'r Niwl

In the same way as many people enjoy jumping and playing in the waves, I also see the waves as playing their own game, dancing in a regular rhythm across the shoreline and crashing against the cliffs. Waves are consistent, and have a pattern, but each individual wave is subtly different, with thousands of mini-sparks of water shooting off unpredictably. Again, this serves as a metaphor for mankind, since we all generally dance to the same tune, but as individuals we may fly off in many different directions. Each separate journey makes the main wave look unique and exciting, but almost inevitably, we finally rejoin the main body of water, perhaps just in a slightly different place!

Fel y bydd llawer o bobl yn mwynhau neidio a chwarae yn y tonnau, gwelaf innau'r tonnau'n chwarae eu gêm eu hunain, dan ddawnsio'n rhythmig a chyson ar draws y draethlin ac yn torri ar y clogwyni. Mae tonnau'n gyson, ac â phatrwm iddynt, ond mewn modd cynnil mae pob ton unigol yn wahanol, gyda miloedd o wreichion bychain o ddŵr yn tasgu'n annisgwyl. Eto, gall hyn fod yn drosiad ar gyfer dynol ryw, gan ein bod ni i gyd fel arfer yn dawnsio i'r un dôn, ond fel unigolion gallwn ymryddhau mewn sawl cyfeiriad gwahanol. Mae pob taith wahanol yn creu golwg unigryw a chyffrous ar y brif don, ond, bron yn anochel, down yn ôl yn y diwedd at brif gorff y dŵr, er efallai mewn lle ychydig yn wahanol!

Water Dance   Dawns y Dŵr

An awesome collection of colours, both in the sky and in the rocks. The sun has set but the dusk sky is just bright enough to throw a soft sheet of light over this ancient volcanic rock landscape. The gentle illumination has filled every shadow, so that the rocks look less dimensional but even more colourful. The spray from the sea produces more vivid colours from the rocks. I left the camera lens open just long enough for the viewer to see the pattern of movement of the waves, but not long enough to turn everything to milk!

Casgliad aruthrol o liwiau, yn yr awyr ac yn y creigiau fel ei gilydd. Mae'r haul wedi machlud, ond o'r braidd mae awyr yr hwyr yn ddigon golau i daflu gorchudd o oleuni ysgafn dros y tirlun hwn o greigiau folcanig hynafol. Mae'r golau addfwyn wedi llenwi pob cysgod, fel bod dimensiynau'r creigiau'n llai amlwg, ond eu lliwiau hyd yn oed yn gryfach. Crea ewyn y môr liwiau mwy llachar ar y creigiau. Gadewais lens y camera yn agored yn ddigon hir i'r syllwr weld patrwm symudiad y tonnau, ond nid yn ddigon hir i droi popeth yn llaethog!

An Evening Colour Wash

Golchiad Lliw'r Cyfnos

I have always been fascinated by that time of day AFTER the sun has gone down, the twilight period when reds quickly disappear from the earth and the blues take over. As the land is smothered by a blanket of darkness, here on the west coast the sun plays games with the last waves of white light, twisting the spectrum and teasing the coastline with false promises before diving beyond reach and plunging the sea itself into blackness. For me, this is one of the few moments when I really relish being alone. It is almost the ultimate in what has been referred to as romanticism, with its notions about the grandeur of the universe and the insignificance of man. However, as I deplore 'labels' for personal expression and subsequent categorisation, I am happy to admit that my motivation for image-making is often a heartfelt, yet mind-expanding exploration of these familiar universal processes.

Cefais wastad fy nghyfareddu gan yr adeg honno o'r dydd AR ÔL y machlud, y cyfnos pan fydd y lliwiau coch yn diflannu'n sydyn o'r ddaear a'r lliwiau glas yn cymryd eu lle. Wrth i gwrlid o dywyllwch orchuddio'r tir, yma ar lannau'r gorllewin chwery'r haul â'r tonnau olaf o oleuni gwyn, gan gordeddu'r sbectrwm a phryfocio'r glannau ag addewidion celwyddog cyn plymio'r tu hwnt i gyrraedd, gan adael y môr mewn tywyllwch dudew. I mi, dyma un o'r ychydig adegau pan gaf wir flas ar fod ar fy mhen fy hun. Mae bron yr eithaf yn yr hyn a elwir yn rhamantiaeth, a'i syniadau o fawredd y bydysawd a distadledd dyn. Er hynny, gan ei bod yn gas gennyf 'labeli' ar gyfer mynegiant personol a'r categoreiddio sy'n eu dilyn, 'rwy'n fodlon cyfaddef mai fy symbyliad i, yn aml, ar gyfer creu delweddau yw archwiliad diffuant, ond goleuol, o'r prosesau cyffredin, cyfarwydd hyn.

Evening Tide   *Llanw'r Cyfnos*

Thirteen seconds may not seem like a large slice of time, by any stretch of the imagination, but many waves can lap the shoreline in this photographically long period. Here this thirteen-second slice of time has created a blur from the small but incessant waves, softening the sea so that the details, texture and surface of pebbles and crags contrast strikingly against it. During the day and at night, the land and sea seem inextricably linked, but at dusk, after the sun itself has set, there often appears the greatest contrast, where the sea and land become separate entities. Perhaps the draw to the coast, at sunset, is the sun and its powerful link with the sea, synonymous with life, movement, excitement and eternity? As the sun sets, so does our potential for almost everything. The stage on which this gets played is vast and captivating. I can imagine why this process was so much more poignant, even frightening, in ancient days when we neither understood the physics nor were able to press a light switch!

Efallai nad ymddengys tri eiliad ar ddeg yn adeg hir o bell ffordd, ond gall llawer o donnau dorri ar y traeth yn y cyfnod hwn, sy'n un hir mewn ffotograffiaeth. Yma, mae'r ysbaid hon o dri eiliad ar ddeg wedi pylu'r tonnau bychain ond di-baid, gan feddalu'r môr fel bod manylion, ansawdd ac wynebau cerrig mân a chreigiau yn cyferbynnu'n drawiadol ag ef. Ddydd a nos, ymddengys cyswllt annatod rhwng y tir a'r môr, ond yn y cyfnos, ar ôl i'r haul ei hun fachlud, gwelir yn aml y gwrthgyferbyniad mwyaf, pryd yr aiff y tir a'r môr yn ddau beth gwahanol. Efallai mai'r atyniad i'r glannau, adeg y machlud, yw'r haul, a'i gyswllt cryf â'r môr, sy'n gyfystyr â bywyd, symud, cyffro a thragwyddoldeb? Fel y bydd yr haul yn machlud, felly y bydd ein gallu i wneud popeth bron hefyd yn machlud. Mae llwyfan y ddrama hon yn eang ac yn gyfareddol. Gallaf ddychmygu pam y bu hyn gymaint yn fwy ingol, yn frawychus hyd yn oed, yn y dyddiau gynt pan nad oeddem yn deall deddfau ffiseg nac yn medru pwyso switsh golau!

Evening Tide 2   *Llanw'r Cyfnos 2*

It's nice to think we have enough sunshine here in the British Isles, and many will say that Anglesey has more than mainland North Wales; but in reality, for many of us desperately waiting for our weekend of escape, we are confronted by the reality of dull weather, low contrast and blanket cloud! Of course, for those of us who love being outdoors, we still venture out anyway, and there is usually SOMETHING of interest to make it all worthwhile! It was the same this day, so I deliberately chose a location with water, to catch, reflect and practically double the amount of light available. The beach was saturated – huge shallow pools of water and the barest ripple of wind. The sun struggled to give us a performance on this watery stage but there was nevertheless a gentle drama taking place.

Mae'n braf meddwl y cawn ddigon o heulwen yma yn Ynysoedd Prydain, a bydd llawer yn dweud y caiff Ynys Môn fwy nag a gaiff tir mawr Gogledd Cymru; ond i lawer ohonom, sy'n aros yn daer obeithiol am ein penwythnos o ddianc, cawn ein hwynebu gan realiti tywydd llwydaidd, diffyg gwrthgyferbyniad a blanced o gwmwl! Wrth gwrs, i'r rhai ohonom sydd wrth ein boddau yn yr awyr agored, mentrwn allan doed a ddelo, ac fel arfer mae RHYWBETH diddorol i wneud y cyfan yn werth chweil! Fel hyn yr oedd hi'r diwrnod hwnnw, felly dewisais yn fwriadol rywle gyda dŵr, er mwyn iddo ddal, adlewyrchu, a bron dyblu hynny o olau a oedd ar gael. 'Roedd y traeth yn orlawn o ddŵr – pyllau enfawr a'r crychiad lleiaf o wynt. Bu'n ymdrech i'r haul ddangos ei hun ar y llwyfan dyfrllyd hwn, ond er hynny chwaraeid drama dyner.

Weak Sunshine on a Wet World   *Heulwen Wan mewn Byd Gwlyb*

As I explain in my comments on 'Lighthouse in a North Westerly', page 77, Penmon Point has become less and less appealing to me for photography, but occasionally I still shoot the odd image there if narrative presents itself. On this cold winter's evening, waves were cascading down and across the limestone reef. As the tide rose, the dark rocks became brighter and whiter owing to the sheer mass of waves and water. Just before the scene became darker and monochromatic, the last remnants of sunlight caught the tops of the clouds, warming them temporarily and splashing them in salmon and pink for the briefest of moments, echoing another colourful warning, in red, on the sign fixed to the reef. Night, and a more intense cold forced a retreat to the warmth of the car.

Fel yr egluraf wrth sôn am 'Goleudy mewn Gwynt o'r Gogledd-Orllewin', tudalen 77, aeth y Trwyn Du (Penmon) yn lleilai deniadol i mi fel testun ffotograffau, ond er hynny byddaf yn tynnu ambell lun o hyd, o dro i dro, os gwelaf rywbeth i 'sôn' amdano. Ar y noson oer hon o aeaf, 'roedd tonnau'n rhaeadru i lawr ac ar draws y greigres o garreg galch. Wrth i'r llanw godi, aeth y creigiau tywyll yn loywach ac yn wynnach oherwydd swmp enfawr y tonnau a'r dŵr. Yn union cyn i'r olygfa dywyllu a cholli'i lliw, tywynnodd llygedyn olaf yr heulwen ar bennau uchaf y cymylau, a'u cynhesu dros dro, gan dasgu lliw samwn a lliw pinc drostynt am ennyd fer a chan adleisio rhybudd lliwgar arall, mewn coch, ar yr arwydd a safai ar y forgraig. Parodd y nos, ac oerfel mwy iasol, imi gilio i wres y car.

Colourful Warnings   *Rhybuddion Lliwgar*

It is funny how a photograph can so often betray reality. We tend to believe everything we see in photographs, but without background information or context many pictures lose the vitality of meaning. This could easily be a lovely summer sunset shot of an Anglesey beach, but in fact it all appeared very quickly after a really dull and disappointing day. It was mid-winter; the skies had temporarily cleared and the clean sands were carefully carved by a small stream. However, perhaps twenty minutes after this shot was taken, a dense fog rolled in off the sea, giving perhaps just twenty-foot visibility, and it was ICY cold – really damp penetrating cold. It made the brief period of sunshine, and thoughts about summer beaches, all the more poignant on this short winter's day.

Mae'n od sut y gall ffotograff wneud cam â'r gwirionedd mor aml. Tueddwn i gredu popeth a welwn mewn ffotograffau, ond heb wybodaeth gefndirol neu gyd-destun bydd aml lun yn colli bywioldeb ystyr. Gallai'r olygfa hon yn hawdd fod yn llun hyfryd o fachlud o haf ar draeth ym Môn, ond mewn gwirionedd fe ymddangosodd yn sydyn iawn ar ôl diwrnod gwirioneddol ddiflas a siomedig. Canol gaeaf oedd hi; 'roedd yr awyr wedi clirio am ychydig a châi'r tywod glân ei gerfio'n ofalus gan nant fechan. Er hynny, ryw ugain munud ar ôl imi dynnu'r llun hwn, daeth niwl trwchus i mewn o'r môr, fel na allwn weld ond efallai rhyw ugain troedfedd o'm blaen, ac 'roedd yn RHEWLLYD o oer – llaith ac oer at fêr f'esgyrn. Gwnaeth y cyfnod byr o heulwen, ac atgofion o draethau'r haf, yn fwy ingol byth ar y diwrnod byr hwn o aeaf.

Before the Icy Fog Rolled In   *Cyn i'r Niwl Rhewllyd Gyrraedd*

The low rays of the sun touched rain-laden, wind-blown clouds and a stream-carved wet beach, on this blustery winter evening. As the rivulets raced out towards the sea, they carried the last of the gold with them.

Cymylau llwythog o law, a chwythid gan y gwynt, a'r traeth gwlyb a gerfiwyd gan nentydd – a gyffyrddid gan belydrau'r haul isel ar y noson stormus hon o aeaf. Wrth i'r nentydd ruthro tua'r môr, cludent weddillion yr aur gyda hwy.

Draining Away

Distyll y Don

Many people have asked about the beautiful blues in this image, but after the sun had set behind heavy rain clouds, this is what the camera saw, unadulterated! This is not the more neutral grey that the human eye sees, of course, after its almost immediate compensation for these high colour temperatures, but it has created a very strong cool, evening feel to this image, much closer to my experience of the event than a literal record. I therefore decided not to use any normal correction software and I am happy with the result – an evocative atmospheric moment when evening seas crash against darkening rocks on the weathered West coast.

Holodd sawl un fi ynghylch y lliwiau glas godidog yn y llun hwn, ond ar ôl i'r haul fachlud y tu ôl i gymylau glaw trymion, dyma'n union yr hyn a welodd y camera, yn ddigyffwrdd! Nid dyma, wrth gwrs, y llwyd mwy niwtral a wêl y llygad dynol ar ôl ei addasu'i hun bron ar unwaith ar gyfer y tymereddau lliw uchel hyn, ond rhoes y lliw deimlad oeraidd dwys iawn o'r cyfnos, teimlad nes o lawer at fy mhrofiad o'r digwyddiad nag y byddai cofnod llythrennol. Felly penderfynais beidio â defnyddio unrhyw feddalwedd gywiro arferol ac 'rwy'n fodlon ar y canlyniad – eiliad atgofus, atmosfferaidd pan dyr moroedd yr hwyr ar greigiau sy'n tywyllu ar lannau hindreuliedig y gorllewin.

Moody Blues   Gleision Prudd yr Hwyr

Just before sunset, but in the shadow of the shoreline crags, a powerful repeating surge created an eerie disturbance in what was otherwise a calm sea. Looking out, I could meditate over the tranquillity of the scene, but when I looked down, the water was rising and falling in deep crevices, occasionally rising so high that it covered my boots, but then dropping maybe five feet down slippery slopes into the darkness.

Yn union cyn y machlud, ond yng nghysgod clogwyni'r glannau, bu ymchwydd ar ôl ymchwydd pwerus yn creu cynnwrf annaearol mewn môr oedd, heblaw am hynny, yn un tawel. Wrth edrych allan, gallwn fyfyrio ar lonyddwch yr olygfa, ond wrth edrych i lawr, 'roedd y dŵr yn ymchwyddo ac yn treio mewn agennau dwfn, gan godi mor uchel, bob hyn a hyn, fel y llifai dros f'esgidiau mawrion, ac yna gilio efallai pum troedfedd i lawr llethrau llithrig i'r tywyllwch.

An Evening Disturbance

Cyffro gyda'r Hwyr

After the sun had dipped beyond the horizon, the whole landscape turned to orange and pink. These ancient rocks, gnarly and sharp, were softened and smoothed in this softest of colour washes. Their predecessors are now smooth sand, glowing in the dusk light, and the evening waves continued to swirl and imperceptibly erode their edges. The landscape is quietly being eaten away, but man's buildings seem a much faster and more ugly destruction of this beautiful landscape than waves, tides, wind and rain ever were.

Wedi i'r haul fynd dan ei gaerau, trodd yr olygfa i gyd yn oren ac yn binc. Cafodd y creigiau hynafol hyn, cnotiog a miniog, eu meddalu a'u llyfnu yn y golchiad lliw tra ysgafn hwn. Erbyn hyn y mae'r rhai a fu o'u blaen yn ddim ond tywod llyfn, sy'n tywynnu yng ngolau'r hwyr, a daliai tonnau'r hwyr i chwyrlïo ac, yn raddol, i erydu eu hymylon. Mae'r tirlun yn cael ei fwyta'n dawel, ond mae fel petai adeiladau dyn yn dinistrio'r tirlun hardd hwn mewn modd cynt a hyllach o lawer nag a wnaeth y tonnau, y llanwau, y gwynt a'r glaw erioed.

A Slow and Gradual Erosion

Erydu Araf a Graddol

Veins of sand were carved proud by rivulets of water, running almost imperceptibly into the dark pool at the far edge of this long beach. The contrasts of light against dark and flat against form, have created an almost scale-like, fishy appearance upon this surface.

'Roedd cornentydd wedi cerfio gwythiennau gwrymiog o dywod a safai'n glir o'r wyneb, gan redeg yn raddol iawn i'r pwll tywyll ym mhen draw'r traeth hir hwn. Mae cyferbyniadau goleuni â thywyllwch, a gwastadedd â ffurf, wedi creu golwg bysgodlyd, golwg cennog bron, ar yr wyneb hwn.

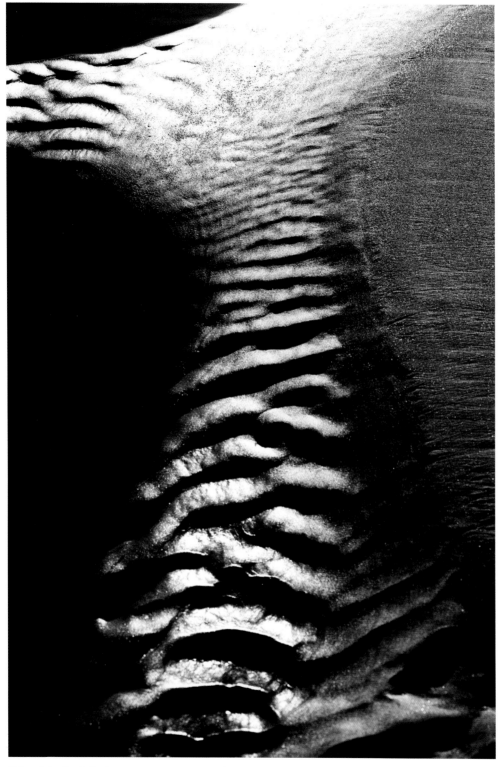

Edge of the Dark Pool

Ymyl y Pwll Tywyll

In bright sunshine, this beautiful limestone sea arch is brilliant white, reflecting everything the sun throws at it, cooled by the blues of the waters below. In winter though, or in stormy weather when days are dark and the sea turns leaden, the arch itself looks formidable and imposing. This sculpture at the edge of the land is pummelled and pounded, with rocks as well as waves thrown against its base. It is then that its continued existence becomes all the more remarkable.

Yng ngolau heulwen braf, mae carreg galch y bwa môr hardd hwn yn glaerwyn, gan adlewyrchu popeth y teifl yr haul ato, ac wedi'i oeri gan liwiau glas y dyfroedd islaw. Ond yn y gaeaf, neu mewn tywydd stormus pan fydd y dyddiau'n ddu a phan dry'r môr yn lliw plwm, mae golwg enbyd ac urddasol ar y bwa ei hun. Caiff y cerflun hwn, ar ymyl y tir, ei bwnio a'i bwyo, gyda cherrig yn ogystal â thonnau yn cael eu hyrddio yn erbyn ei fon. Bryd hynny ymddengys ei barhad yn hynotach fyth.

Crumbling Defences   *Amddiffynfeydd yn Chwalu*

I love it when the seas around Anglesey really come to life. When the swell and the wave period increase, I just know the coastline is going to get exciting! I have an unquenchable thirst to get to the coast in stormy weather, to watch mountainous waves hurl themselves against cliffs and feel the vibration as thousands of tons of water explode against this rocky barrier to energy. Since a kid, on Cornish sea cliffs, I have enjoyed the taste of sea spray blown off the ocean, I revel in the force of the winds associated with these conditions and it's comforting to know that Anglesey also has this to offer!

'Rwyf wrth fy modd pan fydd y moroedd o gwmpas Ynys Môn yn deffro o ddifrif. Pan fydd yr ymchwydd a'r cyfnod rhwng y tonnau'n cynyddu, gwn yn reddfol y bydd cyffro i'w gael ar y glannau! Ar dywydd stormus, 'does dim dal arnaf rhag mynd i lan y môr, i wylio'r tonnau anferth yn eu hyrddio'u hunain yn erbyn y clogwyni ac i deimlo'r cryndod wrth i filoedd o dunelli o ddŵr ffrwydro yn erbyn y rhwystr creigiog hwn i'w hynni. Ers yn blentyn, ar glogwyni glan môr Cernyw, bûm yn mwynhau blas yr ewyn a chwythir oddi ar y môr. Gorfoleddaf yng ngrym y gwyntoedd sydd i'w cael ar adegau fel hyn, ac mae'n gysur gwybod bod hyn ar gynnig gan Ynys Môn hefyd!

Conflict Zone   Man Gwrthdaro

In the howling winds, whipping up short, fast waves and spraying the landscape with thick clumps of spume, these delicate, beautiful long grasses gently bowed and swayed in the gale. No matter how hard they were buffeted and knocked down, their ecological and equal right to be a part of the landscape made me smile. After the wind has relented and the sun shines once more, the grasses will stand tall and unscathed. To me at least, this natural process seemed a metaphor for man's endless struggle between independence and oppression.

Â'r gwyntoedd yn udo, gan chwipio tonnau bach, cyflym, a thasgu talpiau trwchus o ewyn dros y tir, yr oedd y tuswau glaswellt eiddil, hardd hyn yn ymgrymu a siglo'n ysgafn yn y dymestl. 'Roedd rhaid imi wenu wrth eu gweld yn mynnu eu hawl ecolegol a chyfartal i fod yn rhan o'r tirlun, ni waeth pa mor galed y caent eu hergydio a'u taro i lawr. Wedi i'r gwynt ostegu, wrth i'r haul dywynnu eto, saif y glaswellt yn dal ac yn ddianaf. I mi, o leiaf, ymddangosai'r broses naturiol hon yn ddelwedd o frwydr ddiddiwedd dynion rhwng annibyniaeth a gormes.

Gentle Resilience   *Gwytnwch Addfwyn*

Throughout the regular battering of winds and rain, a solid hand of ancient rock gently supports a multitude of simple life forms in their harsh battle for survival. The stark contrast between earth, water and air, organic and inorganic, fragile and resilient, exposure and shelter, movement and stillness, was the motivation behind this image.

Yn dyner, trwy gydol curo cyson y gwyntoedd a'r glaw, mae llaw gadarn hen garreg yn cynnal llu o rywogaethau syml yn eu brwydr arw i fyw. Y gwrthgyferbyniad llwyr rhwng y tir, y môr a'r awyr, yr organig a'r anorganig, y bregus a'r gwydn, noethni a chysgod, symudiad a llonyddwch, dyna oedd symbyliad y llun hwn.

Fragile Life   *Bywyd Bregus*

Heavy, powerful, icy cold, stinging, intimidating. The isolated beams of sunlight betrayed us. Within ten minutes of our starting out across the cliffs, the 'tricksy' sunlight was shut out by huge dark curtains of winter hail clouds. It was like an eclipse; everything went dark and the first few crackles of hail on cagoules soon became an intense, noisy barrage of ice pellets. The winter waves crashing on the rocks seemed small and almost welcoming in comparison! Within another ten minutes the squall had passed and sunshine appeared, followed by blue sky and clothes-shedding warmth for the rest of the day!

Trwm, grymus, rhewllyd, egr, bygythiol. Fe'n bradychwyd gan ambell belydryn o heulwen. O fewn deng munud inni ddechrau cerdded ar hyd y clogwyni, diffoddwyd goleuni castiog yr haul gan lenni tywyll enfawr o gymylau cenllysg gaeafol. 'Roedd fel diffyg ar yr haul; aeth popeth yn dywyll ac yn fuan aeth clecian cyntaf y cenllysg ar ein cagoules yn ymosodiad swnllyd, cryf o belenni rhew. O'u cymharu, ymddangosai'r tonnau gaeafol a dorrai ar y creigiau yn fychain, a bron yn groesawus. Ym mhen deng munud arall, 'roedd y sgôl wedi mynd heibio a gwelwyd yr haul drachefn, a dilynwyd ef am weddill y dydd gan awyr las a gwres digon inni ddiosg dillad.

Light from a Dark Island

Golau o Ynys Dywyll

As Penmon Point has become a Mecca for anyone with a camera, and snaps of the place litter multitudes of websites, commercial vehicles and company brochures, I find the place less and less appealing for my own work. However, the place itself of course remains a stunning mix of natural and man-made forms and helming a yacht through the sound is as rewarding as ever! Hardly surprisingly therefore, I still occasionally venture there, usually in inclement weather, looking for shots which depict a raw atmosphere of the place, rather than postcard prettiness. On this bitterly cold winter's day, waves were relentlessly crashing over the reef and exploding against the limestone boulders. I am pleased with the monochromatic look of this scene, and with the ominous clouds echoing the dark, dangerous solidity of the boulders, both of them seeming to dwarf and ridicule the lighthouse.

Ers i'r Trwyn Du (Penmon) fynd yn gyrchfan i unrhyw un â chamera, ac i gipluniau ohono lenwi llu o wefannau, o gerbydau masnachol ac o lyfrynnau cwmnïoedd, caf lai a llai o apêl yn y lle ar gyfer fy ngwaith fy hun. Er hynny, wrth gwrs, erys y lle ei hun yn gymysgfa syfrdanol o ffurfiau naturiol a ffurfiau o waith dyn, ac mae llywio iot trwy'r swnt yn rhoi cymaint o foddhad ag erioed! 'Does dim syndod, felly, fy mod i'n dal i fentro yno bob hyn a hyn, yn enwedig ar dywydd garw, i chwilio am luniau sy'n dangos rhyw olwg gignoeth ar y lle yn hytrach na phertrwydd cerdyn post. Ar ddiwrnod dychrynllyd o oer yn y gaeaf, cwympai tonnau'n ddi-baid dros y graig, gan ffrwydro yn erbyn y clogfeini carreg galch. Mae golwg fonocromatig yr olygfa hon yn fy mhlesio, gyda'r cymylau bygythiol yn adlewyrchu cadernid peryglus, tywyll y clogfeini, a'r ddau yn peri i'r goleudy edrych yn fychan ac yn chwerthinllyd.

Lighthouse in a North Westerly

Goleudy mewn Gwynt o'r Gogledd-Orllewin

The Anglesey coast is littered with wrecks of unfortunate ships which have foundered in shallow waters, owing to terrific winds and big seas. To an unwary skipper, even a swell of just a few feet can be enough for the keel of their yacht to catch a sand bar and heel the boat over. This has been happening for centuries, and at low tide, when the pounding of the waves has retreated and the beauty of these treacherous sands is exposed, remnants of lost boats may sometimes appear, depending on the action of recent storms and the consequent shifting of sand bars.

Mae glannau Ynys Môn yn llanastr o ysgerbydau llongau anffodus a suddodd yn eu dyfroedd bas oherwydd y gwyntoedd erchyll a'r moroedd mawrion. I gapten anwyliadwrus, gall ymchwydd o ychydig droedfeddi yn unig fod yn ddigon i gilbren ei iot ddal mewn traethell a gogwyddo'r cwch drosodd. Bu hyn yn digwydd ers canrifoedd, ac ar y trai, pan gilia'r tonnau maluriol a dinoethi harddwch y traethellau bradwrus, gall gweddillion cychod colledig ymddangos weithiau, gan ddibynnu ar waith stormydd diweddar ac ar draethellau'n symud o'r herwydd.

Marker to Eternal Forces   *Arwyddnod Grymoedd Oesol*

Winter, cold, after sundown. The remnants of daylight were just enough to illuminate the long, slow waves sweeping across this expansive beach. You can just make out the lights of the town in the distance. We had an argument, so I took photographs whilst she marched off to a café. The stupidity of our disagreement paled into insignificance amidst the infinity of this huge black universe all around me. By the time my feet had been soaked and my fingers were frozen to the tripod, there was nothing more heart-lifting than watching a lonely figure return to me from the darkness.

Gaeaf, oerni, wedi'r machlud. Prin bod gweddillion goleuni'r dydd yn ddigon i oleuo'r tonnau araf, hirion a ysgubai ar draws y traeth eang hwn. O'r braidd y gallwch ganfod goleuadau'r dref yn y pellter. Cawsom ffrae, felly bûm innau'n tynnu lluniau tra martsiai hithau i gaffi. Aeth twpdra ein ffrae'n ddibwys iawn yng nghanol anfeidroldeb y bydysawd du anferth hwn o'm cwmpas. Erbyn i'm traed wlychu a'm bysedd rewi i'r treipod, nid oedd dim byd mwy calonogol na gweld ffigwr unig yn dychwelyd ataf o'r tywyllwch.

A Light Appeared in the Darkness   *Gwelwyd Goleuni yn y Tywyllwch*

Leaving Menai Bridge in the baking sun, it was hard to believe the contrast when driving down to this West coast beach! It was THICK fog, so dense I could see less than three metres in front of me. It had a coldness, and moved swiftly. Figures came into view then disappeared just as rapidly. Sound was muffled, forms indistinct, even the sea disappeared, but the gentle waves could be heard echoing all around. I followed tracks that weren't tracks, and voices that weren't recognisable. I walked maybe a mile before I finally found my friends huddled in the dunes, praying for sunshine but enjoying the surrealism.

Wedi gadael Porthaethwy dan yr haul crasboeth, yr oedd yn anodd credu'r cyferbyniad wrth yrru i'r traeth hwn ar lannau'r gorllewin! Yr oedd yn niwl TEW, mor drwchus fel na allwn weld hyd yn oed dri metr o'm blaen. Yr oedd yn oeraidd, ac yn symud yn gyflym. Daethai ffigyrau i'r golwg, ac yna diflannu'r un mor gyflym. Yr oedd pob sŵn yn aneglur, ffurfiau'n annelwig, hyd yn oed y môr wedi diflannu, ond gellid clywed y tonnau tirion yn atseinio ymhobman o'm cwmpas. Dilynais olion nad oeddent yn olion, a lleisiau nad oedd modd eu hadnabod. Cerddais ryw filltir efallai cyn dod o hyd i'm cyfeillion o'r diwedd, yn swatio yn y twyni, dan weddïo am heulwen ond yn mwynhau'r swrrealaeth.

A Search for Lost Souls

Chwilio am Eneidiau Coll

It was one of those late winter, early spring days, with a freshness to the landscape and a clarity to the light. It was a mixture of sunshine and clouds but definitely cold enough to warrant hats, gloves and even over-trousers. We rounded the corner of the dunes and headed directly across the low-tide zone towards the main beach. Taking a hot cuppa from the flask, slumped back in the tall grasses next to the footpath, we noticed the sky rapidly greying! Within minutes we felt the first spots of rain and then it was a torrential downpour. Carol searched in vain for the lee side of a sand dune and I scanned for small hawthorn trees or shrubs, anything to reduce the intensity of the icy rain; but at the same time, the scene was raw, timeless and there was a serene and gentle beauty to the light. As I could only see clumps of grass and succulents, dunes and sky, the earth had been reduced to a minimalist level. It was totally elemental – the simplest of landscapes and exposure to the heavens. I forgot about the need for shelter as I relaxed into the experience of nature 'doing its thing' all around me; I was completely insignificant in the process, making it all the more wonderful! I actually felt at peace with everything.

Un o'r dyddiau hynny oedd hi, dyddiau gaeaf hwyr neu wanwyn cynnar, a'r tirlun yn ffres a'r golau'n glir. 'Roedd yn gymysgedd o heulwen a chymylau, ond yn ddigon oer, heb amheuaeth, i gyfiawnhau gwisgo het, menig a thrywsus glaw. Daethom heibio cornel y twyni, gan anelu'n syth ar draws rhan isaf y traeth tuag at y prif draeth. Gan dywallt paned poeth o'r fflasg, a ninnau'n gorwedd yn swp yn y glaswellt hirfain wrth ymyl y llwybr, sylwasom fod yr awyr yn tywyllu'n sydyn! O fewn munudau, teimlasom ddiferion cyntaf y glaw, ac yna aeth yn i bistyllio'n drwm. Chwiliodd Carol yn ofer am gysgod twyn, a chwiliais innau am goed draen gwynion bychain neu lwyni, rhywbeth i leddfu rhyferthwy'r glaw rhewllyd; ond ar yr un pryd, 'roedd yr olygfa'n egr, yn fythol, ac yr oedd i'r goleuni harddwch tangnefeddus ac addfwyn. Gan na allwn weld dim ond tuswau o laswellt a phlanhigion suddlon, twyni ac awyr, 'roedd y ddaear wedi troi'n gyfosodiad tra syml o ran ffurf ac ansawdd. 'Roedd yn hollol elfennol – y tirlun symlaf yn noeth i'r nefoedd. Anghofiais am angen cysgod wrth ymlacio i'r profiad o natur yn 'mynd trwy'i bethau' ym mhobman o'm cwmpas; 'roeddwn i'n rhan hollol bitw yn y broses, peth a'i gwnaeth hi'n fwy rhyfeddol byth! Teimlais, mewn gwirionedd, yn hollol dawel â'r cyfan.

She offered no shelter but showed me her soul　　　　　　　　*Ni chynigiai hi unrhyw gysgod, ond dangosodd imi ei henaid*

I love the path to Cwyfan's Church. This temporary access, administered by the tides and weather, is rough and uneven. It demands care, but also focuses one's attention on the reasons for going there. I love the sanctuary of the island itself, and the church thereon. I love the physical as well as spiritual elevation, after ascending the narrow stone steps. I love the view, the space, the escape and usually, the peace and quiet. Regardless of the religion of the visitor, the ambience of Ynys Cwyfan stimulates spiritual awareness in many.

'Rwyf wedi mopio ar y llwybr at Eglwys Cwyfan. Garw ac anwastad yw'r mynediad dros dro hwn dan reolaeth y llanwau a'r tywydd. Mae'n gofyn gofal, ond mae hefyd yn hoelio'ch sylw ar y rhesymau dros fynd yno. Caraf noddfa'r ynys ei hun a'r eglwys arni. Caraf y safiad dyrchafedig yn ogystal â'r dyrchafiad ysbrydol, wedi esgyn y grisiau cerrig cul. Caraf yr olygfa, yr ehangder, y ddihangfa ac, fel arfer, y tawelwch. Ni waeth beth yw cred yr ymwelydd, mae awyrgylch Ynys Cwyfan yn symbylu ymwybyddiaeth ysbrydol aml un.

A Stony Path to Enlightenment *Llwybr Caregog i Oleuedigaeth*

I had passed this church a few times whilst exploring back roads near Aberffraw, but the light had always been flat and boring. One evening therefore, after a rare sunny day, having made an extraordinary effort to get there, I was fortunate to witness the last rays of sunshine kissing the face of this tiny church and spilling onto the long grasses around its base. I had arrived a little late, so the intensity of light disappeared within minutes of getting there. However, the thousands of midges enjoyed the now comparative warmth of my skin, and I was bitten everywhere!

'Roeddwn wedi mynd heibio'r eglwys hon ambell waith wrth chwilio lonydd cefn yn ymyl Aberffro, ond 'roedd y goleuni bob amser yn wastad ac anniddorol. Felly, un gyda'r nos, ar ôl diwrnod heulog prin, wedi gwneud ymdrech eithriadol i gyrraedd yno, mi fûm i'n ffodus o weld pelydrau olaf yr haul yn cusanu talcen yr eglwys fechan ac yn arllwys dros y glaswellt hir wrth ei sail. 'Roeddwn wedi dod ychydig yn hwyr, felly pylodd y goleuni tanbaid ym mhen ychydig funudau wedi imi gyrraedd. Ond bu'r miloedd o wybed yn mwynhau fy nghroen, bellach yn gymharol gynnes, a chefais fy mrathu drosof!

I was Bitten by the Church

Aeth yr Eglwys dan fy Nghroen

After a cold, and very wet, walk in stabbing winter showers, the day had pulled in suddenly. We were tired, wet and looking forward to getting back to the car. As we walked back down the lane from the farm, the tungsten warmth of light shone like a welcome beacon from the windows of St Gwenfaen's Church. As the wind whistled through the telegraph wires above and the drizzle continued to blur my lens, there was an immediate and powerful sense of security, comfort and happiness. The exterior and interior conditions were contrasting but perfectly symbiotic.

Ar ôl taith oer, a gwlyb iawn, dan gawodydd egr y gaeaf, 'roedd hi wedi nosi'n sydyn. 'Roeddem wedi blino, yn wlyb ac yn edrych ymlaen at gyrraedd y car eto. Wrth inni gerdded yn ôl i lawr y lôn o'r fferm, disgleiriodd gwres golau twngsten fel ffagl galonogol o ffenestri Eglwys Gwenfaen. Tra chwibanai'r gwynt trwy'r gwifrau telegraff uwch ben a thra daliai'r glaw mân i bylu fy lens, daeth ar unwaith deimlad cryf o ddiogelwch, o gysur ac o ddedwyddwch. 'Roedd popeth y tu allan a'r tu mewn yn gyferbyniol ond yn hollol symbiotaidd.

A Blessing in the Darkness

Bendith yn y Tywyllwch

It had been a heavy-weather day – rain, clouds and big seas. The skies started to break, but only at dusk. On the way home, alongside the river, the warm cosy glow of lights appeared in the hillside cottage, backed by the vaguest hint of light in the sky. The orange house-lights created the gentlest of reflections on the surface of the ebbing river.

Buasai'n ddiwrnod o dywydd garw – glaw, cymylau a moroedd mawrion. Dechreuodd yr awyr oleuo, ond dim ond gyda'r nos. Ar fy ffordd adref, ar hyd yr afon, ymddangosodd tywyniad cysurus, cynnes goleuadau yn y bwthyn ar y llechwedd, gyda'r awgrym lleiaf o oleuni yn yr awyr y tu ôl iddo. Creai goleuadau oren y tŷ'r adlewyrchiadau ysgafnaf ar wyneb yr afon ar drai.

Time for Reflection

Adeg ar gyfer Myfyrio

Approaching South Stack from Porth Dafarch, the cliffs are quite amazingly contorted and varying in colours and textures. The weather was quite the opposite – dull, flat and dreary. I could see the blinking of the lighthouse through the drizzle. Out of nowhere the cloud cover started to break, low on the horizon, and within minutes short bursts of intense sunshine splashed off the spectacular cliffs. It required quick reactions to capture the sweep of the lighthouse lens at the same time as the bursts of sunshine. I thought I'd be able to try another one or two compositions, but the brief sunshine was all too brief and had soon disappeared altogether, leaving just the drizzly walk back.

Wrth ddynesu at Ynys Lawd o Borth Dafarch, gwelir clogwyni hollol syfrdanol eu hystumiau ac amrywiol eu lliwiau a'u gweadau. Hollol wahanol i hyn oedd y tywydd – undonog, diflas a digalon. Gallwn weld pelydrau ysbeidiol y goleudy trwy'r glaw mân. Yn annisgwyl, dechreuodd y cymylau chwalu, yn isel ar y gorwel, ac ymhen ychydig funudau 'roedd fflachiadau sydyn o heulwen danbaid yn tasgu oddi ar y clogwyni ysblennydd. 'Roedd angen ymateb yn sydyn i ddal cylchdro lens y goleudy ar yr un pryd â'r fflachiadau o heulwen. Meddyliwn y gallwn gyfansoddi un neu ddau lun arall, ond byrhoedlog iawn fu'r heulwen, ac yn fuan 'roedd wedi diflannu'n gyfan gwbl, heb adael dim amdani ond taith yn ôl trwy'r glaw mân.

A Momentary Light

Ennyd o Oleuni

This was taken minutes after 'Light from a Dark Island'. The rocks glisten with melted hail, the clouds break apart in huge streaking rows and the sun, in clearing skies, soon dries both us and the cliffs we walk over.

Tynnwyd hwn ychydig funudau ar ôl 'Golau o Ynys Dywyll'. Disgleiria'r creigiau â chenllysg tawdd, ymchwâl y cymylau'n rhesi anferth, ac yn fuan mae'r haul, mewn awyr sy'n clirio, yn ein sychu ni ac yn sychu'r clogwyni a gerddwn.

Piercing Clarity after Blinding Hail   *Yn Dreiddiol Eglur ar ôl Cenllysg Dallol*

My cove! Much smaller than you would think looking at the image and only accessible at low tide. It is always pristine, always facing the open sea and always quiet. When I'm there I can imagine being on any coast in any part of the world, divorced from the icons of bigger landscapes and man-made structures. Just me, the rock, the limpets and small fish, the water, the sound of seagulls and the movement of the skies. A truly beautiful place, a microcosm of any rocky coastline.

Fy nghilfach i! Mae'n llawer llai nag y meddyliech chi o'i golwg yn y llun, ac nid oes modd mynd iddi ond adeg y trai. Mae bob amser yn ddilychwin, bob amser yn wynebu'r cefnfor a phob amser yn dawel. Tra byddaf yno, gallaf ddychmygu fy mod i ar lannau unrhyw ran o'r byd, wedi ymbellhau oddi wrth eiconau tirluniau mwy ac adeiladwaith dyn. Neb ond y fi, y graig, y cregyn meheryn a'r pysgod bychain, y dŵr, sŵn gwylanod a symudiadau'r awyr uwch ben. Lle gwirioneddol hardd, microcosm o unrhyw forlin creigiog.

Cove for Reflection

Cilfach i Adlewyrchu Meddwl

Watching, calm, patient, ready to capture momentary delicacies fleeting before him.

Yn wyliadwrus, yn dawel, yn amyneddgar, yn barod i gipio danteithion yr eiliad, yn gwibio o'i flaen.

Crouched by the Water   *Cwrcwd ar lan y Dŵr*

Much of what I had to say about 'Water Dance', on page 43, also applies to this image, from the same ongoing series. The exploding wave was back-lit by a weak evening sunshine, which you can just discern catching the smooth, black rock face on the left of the image. As everything around became darker, in contrast the white spray continued to collect the last of the available light, spotlighting this joyous last dance, like a child being called in from play at tea time!

Mae llawer o'r hyn a ddywedais ynghylch 'Dawns y Dŵr', ar dudalen 43, yn wir hefyd am y llun hwn, sy'n dod o'r un gyfres barhaol. Goleuwyd y tu ôl i'r don ffrwydrol gan heulwen wan yr hwyr, sydd o'r braidd i'w gweld yn cyffwrdd ag wyneb du, llyfn y graig ar ochr chwith y llun. Wrth i bopeth o'i gwmpas dywyllu, daliai'r ewyn gwyn, mewn cyferbyniad, i gasglu gweddill y goleuni, gan droi sbotolau ar y ddawns orfoleddus olaf hon; atgoffodd fi o blentyn sy'n cael ei alw i mewn o'i chwarae amser te!

Water Dance 2   *Dawns y Dŵr 2*

One beach, one sky, one sea, but an infinity of variations, never the same from second to second, let alone generation to generation. Perhaps this is one of the most positive aspects of continually photographing the same isle, that I will ALWAYS find something new, without fail, that no matter how much I think I know a place, I never really do. I continue to be filled with anticipation before any trip out and I am always excited by what presents itself to me. This beach is principally just blank sand, but an entirely new theatrical performance is played out for me on each visit, though thankfully it has no beginning or end.

Un traeth, un awyr, un môr, ond amrywiaethau diddiwedd, byth yr un fath o eiliad i eiliad, heb sôn am o genhedlaeth i genhedlaeth. Hon, efallai, yw un o'r agweddau mwyaf cadarnhaol o dynnu lluniau'r un ynys byth a hefyd, sef y byddaf BOB AMSER yn dod o hyd i rywbeth newydd, yn ddi-fael; ni waeth pa mor dda 'rwy'n meddwl imi adnabod lle, ni fyddaf mewn gwirionedd yn ei adnabod byth. Byddaf o hyd yn llawn disgwyliad cyn unrhyw daith allan, a chaf fy nghyffroi bob amser gan yr hyn sy'n ymddangos o flaen fy llygaid. Tywod noeth, yn bennaf, yw'r traeth hwn, ond llwyfennir perfformiad theatraidd hollol newydd ar fy nghyfer ar bob ymweliad, er, diolch byth, nid oes dechrau na diwedd iddo.

Rapidly Changing   *Cyflym Gyfnewidiol*

I had never been up here before, to this limestone plateau of ancient history, looking out across Red Wharf Bay in one direction, Puffin Sound and the Great Orme in another, and the whole of the Snowdonia range beyond Beaumaris and the Menai Strait in yet another. An absolutely amazing viewpoint which I can't believe has escaped me to date. Amongst the lush grasses, spiky gorse and thick carpets of brambles (and adders!) there were remnants of our ancestors, almost imperceptible from ground level. I wish I could see this place from the air. I was alone, totally alone, and the richness of the view, the deep sense of past, and abundant wildlife, was intoxicating and enriching.

Fuaswn i erioed i fyny yma o'r blaen, i'r llwyfandir carreg calch hwn a welodd gymaint o hen, hen hanes, ac sy'n wynebu dros y Traeth Coch i un cyfeiriad; tros Swnt Ynys Seiriol a'r Gogarth i gyfeiriad arall; ac, o droi ychydig eto, tros holl fynyddoedd Eryri y tu hwnt i Fiwmares a'r Fenai. Mae'n wylfa hollol syfrdanol ac ni allaf gredu iddi beidio â thynnu fy sylw o'r blaen. Ymhlith y glaswellt toreithiog, yr eithin pigog a'r carpedi trwchus o fieri (a gwiberod!) yr oedd olion ein cyndeidiau, er prin y gellid eu gweld ar wastad y llawr. Hoffwn gael gweld y lle hwn o'r awyr. 'Roeddwn yn hollol ar fy mhen fy hun, ac 'roedd cyfoeth yr olygfa, yr ymdeimlad dwys o'r gorffennol, a'r bywyd gwyllt toreithiog yn feddwol ac yn cyfoethogi.

I sat at Arthur's Table

Eisteddwn wrth Fwrdd Arthur

A different day, a different year to the image 'From Land to Sky', but still the same sand formations caused by the outgoing tide. More intense than before, and with clouds that caught the late afternoon sun moving rapidly in procession across the great clear skies. I still can't help comparing the strips of water on the beach, topped by fluffy lumps of clouds, with the jellyfish that often wash up here. The land and sky are separate, but connected by colour and geometry. This exposed and natural environment has become constricted to me, by me. My subconscious need to see pattern, rhythm and repetition in composition has created this fun landscape, hence the title!

Diwrnod gwahanol, blwyddyn wahanol i'r llun 'O'r Tir i'r Awyr', ond yr un ffurfiannau tywod a achosir gan dreio'r llanw. Dwysach nag o'r blaen, a chyda chymylau a ddaliai heulwen yr hwyr yn gorymdeithio'n gyflym ar draws yr awyr glir, eang. Ni allaf beidio â chymharu'r stribedi dŵr ar y traeth, â thalpiau gwlanog y cymylau uwch ben, â'r slefrod môr a olchir i'r lan yma'n aml. Mae'r tir a'r awyr ar wahân, ond fe'u cysylltir gan liw a chan geometreg. Mae'r amgylchedd naturiol ac agored hwn wedi'i gyfyngu i mi, gennyf i. F'angen isymwybodol i weld patrwm, rhythm ac ailadrodd mewn cyfansoddiad sydd wedi creu'r tirlun ysmala hwn, ac felly'r teitl!

Jellyfish Skies　　　　　　　　　　　　　　　　　　　　　　　　　　　　　*Slefrod yn yr Awyr*

Dramatic landforms, dramatic light, dramatic contrast. These in themselves make for a dynamic image, but here, on top of a crumbling natural sea arch, sits what looks like a man-made millstone with a perfect hole in its centre. I have no idea how it got there or what or who made it. If it was man-made, then it must have been a mammoth effort to get it across the one-foot wide, gritty path, teetering above the arch! I made efforts to contact my geologist friend but when he didn't answer, I decided that I liked the ambiguity. This huge geometric object, perched on its crumbling foundations, has made this landscape all the more incredible.

Tirffurfiau dramatig, goleuni dramatig, cyferbyniad dramatig. Mae'r rhain, ynddynt eu hunain, yn ddefnyddiau llun dynamig, ond yma, ar ben bwa môr naturiol dadfeiliol, eistedd rhywbeth â golwg maen melin o waith dyn arno, gyda thwll perffaith grwn yn ei ganol. Nid oes gennyf yr un syniad sut y daeth yno, neu beth neu bwy a'i gwnaeth. Os dyn a'i gwnaeth, yna bu'n rhaid wrth ymdrech cawraidd i'w symud ar draws y llwybr grudiog, troedfedd o led, gan wegian ar ben y bwa! Ceisiais gysylltu â chyfaill o ddaearegwr, ond pan fethais gael ateb, penderfynais fy mod i'n hoffi'r amwysedd. Mae'r gwrthrych geometrig anferth hwn, ar ei seiliau brau, wedi gwneud y tirlun hwn hyd yn oed yn fwy anhygoel.

An Incredible Landscape

Tirlun Anhygoel

So tempting to think this shot is filtered but it's really not! Once again the low winter sun exploded after a really stormy, wet day. My brother Simon and I were kitted out in foul-weather gear and just lay on the grass on a cliff top watching the skies change colour (well, he is an artist as well!). We were totally absorbed by the sheer variation in colours, and the speed at which the changes took place. It was so amazing that I simply shot a series of sky images as well. It was nice to share this moment with my brother, as it recalled memories of our childhood in Cornwall, where we were both brought up and often did the same thing.

Mae cymaint o demtasiwn meddwl imi ddefnyddio ffilter ar y llun hwn, ond wnes i ddim, wir ichi! Unwaith eto ffrwydrodd haul isel y gaeaf ar ôl diwrnod gwirioneddol wlyb a stormus. 'Roedd Simon, fy mrawd, a finnau'n barod amdani yn ein dillad tywydd garw, ac ni wnaethom ddim ond gorwedd ar y glaswellt ar ben clogwyn, yn gwylio'r awyr yn newid ei liw (wel, arlunydd yw ef hefyd!) 'Roeddem wedi ymgolli'n llwyr yn holl amrywiadau'r lliwiau, ac yng nghyflymder y newidiadau. 'Roedd mor syfrdanol fel y tynnais gyfres o luniau o'r awyr hefyd. 'Roedd yn dda cael rhannu hyn gyda'm brawd, gan i'r ennyd ddwyn yn ôl atgofion o'n plentyndod yng Nghernyw, lle cawsom ein magu, a lle gwnaem yr un peth yn aml.

Blown Gold   *Aur Chwyth*

Chronology

Born	Cheshire, 1964, but raised in Cornwall from 6 months old
Parentage	Welsh father from Ynys Môn, Gareth Davies, artist and retired senior lecturer in fine art
	Mother, Diana Davies from the Wirral, textile designer, ceramicist & painter
	Glyn's great-uncle was Welsh illustrator and cartoonist Wilf Mitford Davies
Secondary Education	Falmouth Comprehensive, Cornwall (1976-1983)
Further Education	Foundation Course, Falmouth School of Art, Falmouth, Cornwall (1983-84)
Higher Education	BA(Hons) in Photography, Film & TV, University of Westminster (1984-87)
Associations	Full member of the Association of Photographers (London) (1995)
	Vice-Chair, Anglesey Arts Forum – set up to aid and promote Anglesey artists (2004)
Other previous	Member of the AOP Northern Committee, Manchester (2001)
	Business Adviser for the Prince's Youth Business Trust (1996-97)
Awards / Competitions	LPA International Awards '05 – Silver Winner in 'Landscape' Competition
	IDEA 2002 – International Digital Exhibition & Awards
	SUN (Shot up North) 2000, 2001, 2002 – eight winning entries
	Prince's Youth Business Trust Award (1990)

Exhibitions			
	2008	Oct-Nov	Joint Exhibition, 'Davies, Davies, Davies & Davies', Oriel Ucheldre Gallery, Holyhead
	2008	Jul-Sept	Solo Exhibition, 'The Enchantment', Nant Gwrtheyrn Village, Gwynedd
	2008	March	'Recent Works', 1st quarter release of new work, Oriel Glyn Davies
	2007	Nov	Solo Exhibition for Glyn's book launch 'Anglesey Landscapes', Oriel Glyn Davies
	2007	May 4-28	Solo Exhibition, 'Isles Apart' Oriel Ucheldre Gallery, Holyhead, both galleries
	2006	June-July	Solo Exhibition, 'Recent Works', Pensychnant Nature Conservation Centre
	05/06	Nov-Feb	Father & Son Exhibition, 'Salt n Ships', Williamson Municipal Art Gallery, Wirral
	2005	July	Solo exhibition, 'Celtic Connections', Kooywood Gallery, Cardiff
	2005	Mar-Apr	Solo exhibition, 'Celtic Connections', Oriel Ynys Môn, Llangefni
	2004	Oct-Dec	Two-man exhibition, 'Stunning Views', Oriel Dafydd Hardy, Caernarfon
	2004	Aug	Trio exhibition, 'Lasting Impressions', Penrhyn Castle, Bangor
	2002	Nov	Solo exhibition, 'Recent Landscapes 2', Caernarfon Gallery
	2001	Sept	Three images in 'Abstraction', Association of Photographers Gallery, London
	2001	Sept	Joint exhibition, 'Family Affair', Oriel Ucheldre Gallery, Holyhead
	2001	Aug	Solo exhibition, 'Beside the Sea', Pendeitsh Gallery, Caernarfon
	2001	Jan	Solo exhibition, 'Recent Landscapes', Canolfan Beaumaris Gallery
	1996		Solo exhibition, 'Welsh TV & Music Personalities', Theatr Gwynedd
	1993		Joint exhibition of personal landscapes, '2+2', Oriel Bangor
	1993		Solo exhibition, 'Facing the Light', Canolfan Beaumaris Gallery
	1986		Solo exhibition in the Royal Festival Hall, for the London Cycling Campaign

Articles & Publications	*The Enchantment – Y Swyngyfaredd* (due: March 2009) – hard-back art book (Publisher: Glyn Davies Photo-Artist Ltd)
	Anglesey Landscapes – Tirluniau Môn Vol. II (Oct 2008) – 120pp hard-back art book (Publisher: Glyn Davies Photo-Artist Ltd)
	Golwg (July 2008) – Welsh-language feature on 'The Enchantment', Glyn's exhibition about the lost village of Nant Gwrtheyrn
	Digital Photographer (Feb 2008) – Seascapes Article with Specialists' Advice
	FotoVideo (Romania) (Jan 2008) – Article about Glyn's recent work and latest book
	Digital Photographer (December 2007) – Book review: *Anglesey Landscapes – Tirluniau Môn* (Nov 2007)
	Golwg (Nov 2007) – Welsh-language feature on Glyn's new art book, *Anglesey Landscapes – Tirluniau Môn* (Nov 2007)
	Anglesey Landscapes – Tirluniau Môn (Nov 2007) – 120pp hard-back art book (Publisher: Glyn Davies Photography)

Digital Photographer (June 2007, Issue 58) – An illustrated article about Glyn's work specifically related to his approach to shooting landscapes in summer

Business (Nov 2005) (Welsh Development Agency) – Feature on Glyn's Art Photo Wales website and the pros and cons of using e-commerce

Image (May 2005) (Association of Photographers) – Full eight-page article and cover on Glyn's 'Celtic Connections' show and his landscape work

Art Business Today (August 2004) – An article looking at the introduction of new print technology and the Internet in selling fine art today

Digital Photography Made Easy (July 2004) – Article on shooting high-quality landscapes in terms of approach and technique

British Journal of Photography (21.07.04) – Trade journal article on e-commerce and web-marketing for photographers

Digital Photographer (April 2004) – An illustrated article about Glyn and techniques for shooting landscapes using digital equipment

Welsh Living (Summer 2003) – An illustrated article on Glyn's variety of commissions and his business as a photographer in rural North Wales

Media	5 September 2008 – **Tidal Wales**, **ITV** – Documentary series about people whose lives or work are influenced by the tides, focusing on Glyn's work from the Dulas Estuary, Anglesey

5 September 2008 – **Tidal Wales**, **ITV** – Documentary series about people whose lives or work are influenced by the tides, focusing on Glyn's work from the Dulas Estuary, Anglesey

28 November 2007 – **The Jamie Owen Show**, **BBC Radio Wales** – Live magazine programme with Jamie regarding Glyn's new book, *Anglesey Landscapes - Tirluniau Môn*

23 May 2007 – **Sioe Gelf – Cwmni Da**, **S4C** – Primary Welsh arts show covers Glyn's exhibition, 'Isles Apart', at the Ucheldre Centre Holyhead – Glyn's first real Welsh interview!

23 April 2006 – **Mousemat**, **BBC Radio Wales** – Adam Walton discusses landscape photography with Glyn with respect to digital workflow from camera to software

29 November 2005 – **The Jamie Owen Show**, **BBC Radio Wales** – Live magazine programme featuring an interview with Glyn about his work

29 November 2005 – **'Welsh Journeys' with Jamie Owen**, **BBC2 Wales** – Programme on 'Celtic Connections' and Glyn's approach to landscape photography

September 2005 – *Wedi 7* – Welsh-language news magazine with Gwyn Llewelyn regarding Glyn's London Photographic Award, Silver win

Judging, Talks & Workshops

Anglesey AONB Photo Competition (Spring 2007). Adviser, sponsor, venue and solo judge for public competition. The competition was devised to promote Anglesey's Areas of Outstanding Natural Beauty

Brewery Fields Competition (Dec 2006). Solo judge for public competition. The competition was devised to highlight the threat of development over a wonderful and environmentally rich greenfield site. Glyn also selected images for a subsequent exhibition at Theatr Gwynedd

Oriel Ynys Môn Photo Workshop (Spring 2005). Two-day workshop alongside Glyn's 'Celtic Connections' exhibition

Oriel Ynys Môn Open Photo Competition (Spring 2004). Main judge and opening speaker for competition

Teaching

Glyn taught photography between 1988 and 2003, primarily adult education through the University of Wales, Bangor, North Wales, but also modules on full-time courses at colleges, schools and sixth form centres in Wales and Cheshire

Work Purchased / Public & Corporate collections

Bangor Business School, University of Wales, Bangor (2007) – 45 images for their new Management Centre

Williamson Art Gallery, Wirral (Jan 2006) – 'Rusty Light', A1 Limited Edition Giclée Print for their permanent collection

Oriel Ynys Môn (June 2005) – 'Forbidden Links', A1 Limited Edition Giclée Print for their permanent collection

BBC Bangor (2005) – 14 large-format Limited and Non-Limited Editions for public display

North Wales Fire Service (2005) – 15 large-format Limited and Non-Limited Editions for public display at their new Headquarters in St Asaph

University of Wales, Bangor (2003) – ten images for their permanent collection

Cronoleg

Ganwyd	Sir Gaer, 1964, ond magwyd yng Nghernyw ers chwe mis oed
Rhieni	Ei dad, Gareth Davies, Cymro o Ynys Môn, yn arlunydd a chyn-ddarlithydd hŷn mewn celfyddyd gain
	Ei fam, Diana Davies o Gilgwri, yn ddylunydd tecstilau, seramegydd a pheintiwr
	Ewythr ei dad oedd y darlunydd a chartwnydd o Gymro, Wilf Mitford Davies
Addysg Uwchradd	Ysgol Uwchradd Falmouth, Cernyw (1976-1983)
Addysg Bellach	Cwrs Sylfaen, Ysgol Gelf Falmouth, Falmouth, Cernyw (1983-84)
Addysg Uwch	BA (Anrhydedd) yn Ffotograffiaeth, Ffilm a'r Teledu, Prifysgol San Steffan (1984-87)
Cymdeithasau	Aelod cyflawn o Gymdeithas y Ffotograffwyr (Llundain) (1995)
	Is-Gadeirydd Fforwm Gelf Ynys Môn – fforwm a sefydlwyd i gynorthwyo a hyrwyddo artistiaid Ynys Môn (2004)
Eraill cyn hyn	Aelod o Bwyllgor y Gogledd, Cymdeithas y Ffotograffwyr, Manceinion (2001)
	Ymgynghorydd Busnes i Ymddiriedolaeth Busnes Ieuenctid y Tywysog (1996-97)
Dyfarniadau/	Dyfarniadau Rhyngwladol yr LPA '05 – Gwobr Arian mewn Cystadleuaeth 'Tirlun'
Cystadlaethau	IDEA 2002 – Arddangosfa a Dyfarniadau Digidol Rhyngwladol
	SUN (Shot up North) 2000, 2001, 2002 – Dyfarniad Ymddiriedolaeth Busnes Ieuenctid y Tywysog (1990)

Arddangosfeydd			
	2008	Hydref-Tachwedd	Arddangosfa ar y cyd, 'Davies, Davies, Davies a Davies', Oriel Ucheldre, Caergybi
	2008	Gorffennaf-Medi	Arddangosfa un dyn, 'Y Swyngyfaredd', Porth y Nant (Nant Gwrtheyrn), Gwynedd
	2008	Mawrth	'Gwaith Diweddar', Rhyddhad gwaith newydd y chwarter cyntaf, Oriel Glyn Davies
	2007	Tachwedd	Arddangosfa un dyn ar gyfer lansiad llyfr Glyn 'Tirluniau Môn', Oriel Glyn Davies
	2007	Mai 4-28	Arddangosfa un dyn, 'Ynysoedd Pell ac Agos', Oriel Ucheldre, Caergybi, y ddwy oriel
	2006	Mehefin-Gorffennaf	Arddangosfa un dyn, 'Recent Works', Canolfan Gwarchod Natur Pensychnant
	05/06	Tachwedd-Chwefror	Arddangosfa Tad a Mab, 'Salt n Ships', Williamson Municipal Art Gallery, Cilgwri
	2005	Gorffennaf	Arddangosfa un dyn, 'Cysylltiadau Celtaidd', Oriel Kooywood, Caerdydd
	2005	Mawrth-Ebrill	Arddangosfa un dyn, 'Cysylltiadau Celtaidd', Oriel Ynys Môn, Llangefni
	2004	Hydref-Rhagfyr	Arddangosfa ddeuddyn, 'Stunning Views', Oriel Dafydd Hardy, Caernarfon
	2004	Awst	Arddangosfa tri dyn, 'Lasting Impressions', Castell y Penrhyn, Bangor
	2002	Tachwedd	Arddangosfa un dyn, 'Recent Landscapes 2', Oriel Caernarfon
	2001	Medi	Tri llun yn 'Abstraction', Oriel Cymdeithas y Ffotograffwyr, Llundain
	2001	Medi	Arddangosfa ar y cyd, 'Family Affair', Oriel Ucheldre, Caergybi
	2001	Awst	Arddangosfa un dyn, 'Ar Lan y Môr', Oriel Pendeitsh, Caernarfon
	2001	Ionawr	Arddangosfa un dyn, 'Recent Landscapes', Oriel Canolfan Beaumaris
	1996		Arddangosfa un dyn, 'Welsh TV & Music Personalities', Theatr Gwynedd
	1993		Arddangosfa o dirluniau personol ar y cyd, '2+2', Oriel Bangor
	1993		Arddangosfa un dyn, 'Facing the Light', Oriel Canolfan Beaumaris
	1986		Arddangosfa un dyn yn y Royal Festival Hall, ar gyfer London Cycling Campaign

Erthyglau, Llyfrau a Chyhoeddiadau	
	The Enchantment – Y Swyngyfaredd (i'w gyhoeddi: Mawrth 2009) – llyfr celf clawr caled (Cyhoeddwr: Glyn Davies Photo-Artist Ltd)
	Anglesey Landscapes – Tirluniau Môn Cyf. II (Hydref 2008) – llyfr celf clawr caled 120 tt (Cyhoeddwr: Glyn Davies Photo-Artist Ltd)
	Golwg (Gorffennaf 2008) – Ysgrif nodwedd ynghylch 'Y Swyngyfaredd', arddangosfa Glyn ynglŷn â phentref coll Nant Gwrtheyrn.
	Digital Photographer (Chwefror 2008) – Erthygl ynghylch Morluniau, gyda chyngor gan arbenigwyr
	FotoVideo (Romania) (Ionawr 2008) – Erthygl ynghylch gwaith diweddar Glyn a'i lyfr diweddaraf
	Digital Photographer (Rhagfyr 2007) – Book review: *Anglesey Landscapes – Tirluniau Môn* (Tachwedd 2007)
	Golwg (Tachwedd 2007) – Ysgrif nodwedd ynghylch llyfr celf newydd Glyn, *Anglesey Landscapes – Tirluniau Môn* (Tachwedd 2007)
	Anglesey Landscapes – Tirluniau Môn (Tachwedd 2007) – llyfr celf clawr caled 120 tt (Cyhoeddwr: Glyn Davies Photography)

Digital Photographer (Mehefin 2007, Rhifyn 58) – Erthyglau gyda lluniau ynghylch gwaith Glyn, yn ymwneud yn benodol â'i waith yn tynnu tirluniau yn yr haf

Business (Tachwedd 2005) (Awdurdod Datblygu Cymru) – Ysgrif nodwedd ynghylch gwefan Glyn, Art Photo Wales, a manteision ac anfanteision defnyddio e-fasnach

Image (Mai 2005) (Cymdeithas y Ffotograffwyr) – Erthygl lawn 8 tudalen a chlawr ynghylch sioe 'Cysylltiadau Celtaidd' Glyn a'i waith tirluniol

Art Business Today (Awst 2004) – Erthygl sy'n edrych ar gyflwyno technoleg argraffu newydd a'r rhyngrwyd wrth werthu celfyddyd gain heddiw

Digital Photography Made Easy (Gorffennaf 2004) – Erthygl ynghylch dulliau a thechnegau tynnu tirluniau o safon uchel

British Journal of Photography (21.07.04) – Erthygl i gyfnodolyn y fasnach ynghylch e-fasnach a marchnata dros y we i ffotograffwyr

Digital Photographer (Ebrill 2004) – Erthygl ddarluniol ynghylch Glyn ac ynghylch technegau ar gyfer tynnu tirluniau gan ddefnyddio offer digidol

Welsh Living (Haf 2003) – Erthygl ddarluniol ynghylch comisiynau amrywiol Glyn a'i fusnes fel ffotograffydd yng nghefn gwlad Gogledd Cymru

Y Cyfryngau	5 Medi 2008 – **Tidal Wales**, **ITV** – Cyfres ddogfennol ynghylch pobl y mae'r llanwau'n effeithio ar eu bywydau neu eu gwaith. Mae'n canolbwyntio ar waith Glyn o aber Dulas, Ynys Môn

28 Tachwedd 2007 – **The Jamie Owen Show**, **BBC Radio Wales** – Rhaglen gylchgrawn fyw gyda Jamie ynghylch llyfr newydd Glyn, *Anglesey Landscapes – Tirluniau Môn*

23 Mai 2007 – **Sioe Gelf – Cwmni Da**, **S4C** – Prif sioe gelf Cymru yn ymdrin ag arddangosfa Glyn, 'Ynysoedd ar Wahân', yng Nghanolfan Ucheldre, Caergybi. Cyfweliad go iawn cyntaf Glyn yn y Gymraeg!

23 Ebrill 2006 – **Mousemat**, **BBC Radio Wales** – Mae Adam Walton yn trafod ffotograffiaeth dirluniol gyda Glyn mewn perthynas â llif gwaith digidol o'r camera i'r feddalwedd

29 Tachwedd 2005 – **The Jamie Owen Show**, **BBC Radio Wales** – Rhaglen gylchgrawn fyw yn cynnwys cyfweliad gyda Glyn ynghylch ei waith

29 Tachwedd 2005 – **'Welsh Journeys' gyda Jamie Owen**, **BBC2 Wales** – Rhaglen ar 'Cysylltiadau Celtaidd' ac ar agwedd Glyn at ffotograffiaeth dirluniol

Medi 2005 – **Wedi 7**– Cylchgrawn newyddion Cymraeg gyda Gwyn Llewelyn ynghylch y wobr arian a gafodd gan y London Photographic Award

Gwaith Beirniadu, Sgyrsiau a Gweithdai	Cystadleuaeth ffotograffig AHNE (Gwanwyn 2007). Ymgynghorydd, noddwr, darparwr lleoliad ac unig feirniad y gystadleuaeth gyhoeddus. Dyfeisiwyd y gystadleuaeth i hybu Ardaloedd o Harddwch Naturiol Eithriadol ym Môn

Cystadleuaeth Caeau Briwas (Rhagfyr 2006). Unig feirniad cystadleuaeth gyhoeddus. Dyfeisiwyd y gystadleuaeth i dynnu sylw at fygythiad ymlediad datblygu dros safle o gaeau gwyrdd rhyfeddol ac amgylcheddol gyfoethog. Hefyd, Glyn a ddewisodd ddelweddau ar gyfer arddangosfa a fu wedyn yn Theatr Gwynedd

Gweithdy Ffotograffiaeth Oriel Ynys Môn (Gwanwyn 2005). Gweithdy deuddydd i gyd-fynd ag arddangosfa Glyn, 'Cysylltiadau Celtaidd'

Gweithdy Ffotograffiaeth Oriel Ynys Môn (Gwanwyn 2004). Prif feirniad a siaradwr agoriadol ar gyfer y gystadleuaeth

Dysgu	Bu Glyn yn dysgu ffotograffiaeth rhwng 1988 and 2003, yn bennaf mewn addysg i oedolion trwy Brifysgol Cymru, Bangor, Gogledd Cymru, ond yn ogystal bu'n dysgu modiwlau ar gyrsiau llawn amser mewn colegau, ysgolion, a chanolfannau chweched dosbarth yng Nghymru a Swydd Gaer.

Gwaith a Brynwyd/ Casgliadau Cyhoeddus a Chorfforaethol	Ysgol Fusnes Bangor, Prifysgol Cymru, Bangor (2007) – 45 o ddelweddau ar gyfer ei Chanolfan Reoli newydd

Williamson Art Gallery, Cilgwri (Ionawr 2006) – 'Rusty Light', Print Giclée A1 Argraffiad Cyfyngedig ar gyfer ei harddangosfa barhaol

Oriel Ynys Môn (Mehefin 2005) – 'Forbidden Links', Print Giclée A1 Argraffiad Cyfyngedig ar gyfer ei harddangosfa barhaol

BBC Bangor (2005) – 14 o ddelweddau diwyg mawr Argraffiadau Cyfyngedig a Digyfyngiad i'w harddangos yn gyhoeddus

Gwasanaeth Tân Gogledd Cymru (2005) – 15 o ddelweddau diwyg mawr Argraffiadau Cyfyngedig a Digyfyngiad i'w harddangos yn gyhoeddus ym Mhencadlys newydd y Gwasanaeth yn Llanelwy

Prifysgol Cymru, Bangor (2003) – 10 o ddelweddau ar gyfer ei chasgliad parhaol

Mystical Isles
Ynysoedd Hud a Lledrith
2008, p11

March Mist 1
Niwl Mawrth 1
2003, p13

Bird on the River, Aberffraw
Aderyn ar yr Afon, Aberffro
2000, p15

Fog Lights
Goleuadau yn y Niwl
2008, p17

March Mist 4
Niwl Mawrth 4
2003, p19

The Wind Rushes
Brwyn yn y Gwynt
2007, p21

Tide Formed
Creadigaethau'r Llanw
2007, p23

Wind Formed 4
Creadigaethau'r Gwynt 4
2008, p25

Wind Formed 3
Creadigaethau'r Gwynt 3
2008, p27

From Land to Sky
O'r Tir i'r Awyr
2006, p29

Fog Lights 2
Goleuadau yn y Niwl 2
2008, p31

*Malaysian View, Holyhead
Harbour*
*Golygfa Faleisiaidd, Harbwr
Caergybi*
2005, p33

*Rigged Up, Holyhead
Breakwater*
Rigin, Morglawdd Caergybi
2005, p35

Floating Illusion
Rhith yn Nofio
2008, p37

Dark Curvaceous Beauty
*Prydferthwch Lluniaidd a
Thywyll*
2008, p39

A Boat Appeared in the Mist
*Ymddangosodd Cwch
drwy'r Niwl*
2008, p41

Water Dance
Dawns y Dŵr
2007, p43

An Evening Colour Wash
Golchiad Lliw'r Cyfnos
2007, p45

Evening Tide
Llanw'r Cyfnos
2007, p47

Evening Tide 2
Llanw'r Cyfnos 2
2007, p49

Weak Sunshine on a Wet World
*Heulwen Wan mewn
Byd Gwlyb*
2007, p51

Colourful Warnings
Rhybuddion Lliwgar
2007, p53

Before the Icy Fog Rolled In
*Cyn i'r Niwl Rhewllyd
Gyrraedd*
2008, p55

Draining Away
Distyll y Don
2006, p57

Moody Blues
Gleision Prudd yr Hwyr
2007, p59

An Evening Disturbance
Cyffro gyda'r Hwyr
2008, p61

A Slow and Gradual Erosion
Erydu Araf a Graddol
2008, p63

Edge of the Dark Pool
Ymyl y Pwll Tywyll
2007, p65

Crumbling Defences
Amddiffynfeydd yn Chwalu
2004, p67

Conflict Zone
Man Gwrthdaro
2007, p69

Gentle Resilience
Gwytnwch Addfwyn
2008, p71

Fragile Life
Bywyd Bregus
2008, p73

Light from a Dark Island
Golau o Ynys Dywyll
2008, p75

Lighthouse in a North Westerly
Goleudy mewn Gwynt o'r
Gogledd-Orllewin
2007, p77

Marker to Eternal Forces
Arwyddnod Grymoedd Oesol
2007, p79

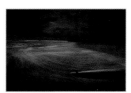

A Light Appeared in the
Darkness
Gwelwyd Goleuni yn y
Tywyllwch
2007, p81

A Search for Lost Souls
Chwilio am Eneidiau Coll
2008, p83

She offered no shelter but
showed me her soul
Ni chynigiai hi unrhyw gysgod,
ond dangosodd imi ei henaid
2008, p85

A Stony Path to Enlightenment
Llwybr Caregog i Oleuedigaeth
2008, p87

I was Bitten by the Church
Aeth yr Eglwys dan fy Nghroen
2008, p89

A Blessing in the Darkness
Bendith yn y Tywyllwch
2007, p91

Time for Reflection
Adeg ar gyfer Myfyrio
2006, p93

A Momentary Light
Ennyd o Oleuni
2008, p95

Piercing Clarity after
Blinding Hail
Yn Dreiddiol Eglur ar ôl
Cenllysg Dallol
2008, p97

Cove for Reflection
Cilfach i Adlewyrchu Meddwl
2007, p99

Crouched by the Water
Cwrcwd ar lan y Dŵr
2007, p101

Water Dance 2
Dawns y Dŵr 2
2007, p103

Rapidly Changing
Cyflym Gyfnewidiol
2007, p105

I sat at Arthur's Table
Eisteddwn wrth Fwrdd Arthur
2008, p107

Jellyfish Skies
Slefrod yn yr Awyr
2007, p109

An Incredible Landscape
Tirlun Anhygoel
2008, p111

Blown Gold
Aur Chwyth
2007, p113

Acknowledgements

I would like to thank all of the following people for their exceptional support with the financing and production of Anglesey Landscapes – Tirluniau Môn, Volume II*:*

Professor Derec Llwyd Morgan, poet, literary historian, critic, broadcaster and former Vice-Chancellor of the University of Wales, for kindly providing the excellent foreword

My Welsh tutor, Ann Corkett, and Dr Bruce Griffiths, who have painstakingly done the translation for this book, with intelligent interpretation of the English which will surely bring as many compliments as did the first volume

My good friend Jonathan Briggs from Magic Bean who has once again diligently managed production of this book from start to finish, and whose attention to detail, layout and image fidelity remains outstanding

Mel & Awen Jones, my fantastic friends, travel companions and confidants, who have financially facilitated this book, and who have continued to show great belief in me

My poetic wife, Carol, who has continued to share her valuable time with me, both out in the landscape on photographic trips, and also during selection sessions for this book and other projects. I look forward to returning the favour with your poetry books Carol xxx

Rich, Ed and Steph, our youths, who lost me for hours on end during their recent holiday to Cornwall, so that I could write the text for this book! Though I'm not sure they thought that was a bad thing...

My Mum and Dad, for just being there, for unending love and support and for helping with selection and proof reading

Diolchiadau

Hoffwn ddiolch i'r canlynol i gyd am eu cefnogaeth eithriadol wrth ariannu a chynhyrchu Anglesey Landscapes – Tirluniau Môn, Cyfrol II*:*

Yr Athro Derec Llwyd Morgan, bardd, hanesydd llenyddol, beirniad, darlledwr a chyn-Is-Ganghellor Prifysgol Cymru, am ei gymwynas yn ysgrifennu'r rhagair ardderchog

Fy nhiwtor Cymraeg, Ann Corkett, a'r Dr Bruce Griffiths, y bydd eu gofal diwyd a'u dehongliad deallus o'r Saesneg wrth gyfieithu'r llyfr hwn yn sicr o ddenu cymaint o ganmol ag a wnaeth y gyfrol gyntaf

Fy nghyfaill da, Jonathan Briggs o Magic Bean, a reolodd gynhyrchu'r llyfr hwn yn ddiwyd o'r dechrau i'r diwedd; y mae ei sylw i'r manylion, i osodiad ac i gywirdeb y delweddau'n parhau'n eithriadol

Mel ac Awen Jones, fy ffrindiau rhagorol, fy nghyd-deithwyr, a'm cyfeillion mynwesol, sydd wedi hwyluso'n ariannol gynhyrchu'r llyfr hwn, ac sydd wedi parhau i ddangos maint eu cred ynof i

Fy mardd o wraig, Carol, sydd wedi parhau i rannu ei hamser gwerthfawr â mi, yn y wlad ar deithiau ffotograffig, a hefyd wrth benderfynu ar ddewisiadau ar gyfer y llyfr hwn ac ar gyfer prosiectau eraill. Edrychaf ymlaen at ad-dalu'r ddyled yn achos dy lyfrau barddoniaeth Carol xxx

Ein pobl ifainc ni, Rich, Ed a Steph, a gollodd olwg arnaf am oriau bwygilydd yn ystod eu gwyliau diweddar yng Nghernyw, er mwyn imi gael ysgrifennu testun y llyfr hwn! Er nad wyf yn sicr iddyn nhw ystyried hynny'n ddrwg o beth...

Fy Mam a'm Tad, yn syml, am fod yno, am gariad a chefnogaeth ddi-ben-draw ac am helpu gyda dewis y lluniau a darllen y proflenni